Erlebnisreise durch das THÜRINGER LAND
Discovery journey THURINGIA
Voyage de découverte THURINGE

Entlang der Klassikerstraße von der Wartburg bis Jena

Von Ostthüringen zum Saaleland

Thüringer Wald mit dem Rennsteig

Durch das Eichsfeld und Nordthüringen

Erlebnisreise durch das
THÜRINGER LAND
mit der Klassikerstraße

Weimar, Anna-Amalia-Bibliothek

 ZIETHEN-PANORAMA VERLAG

HANS MÜLLER

Die Kulturgeschichte vom THÜRINGER LAND

Inmitten Europas gelegen sog Thüringen stets verschiedene Einflüsse auf. Hier mischten sich unterschiedliche Kulturen seit frühgeschichtlichen Zeiten. Bis hierher drangen Kelten und Römer vor, Thüringer und Franken schufen die ersten Grundlagen für die spätere Kulturentwicklung, Slawen trugen ebenfalls ihren Anteil dazu bei. Im „Sog der Mitte" wandelte sich vieles Fremde zum Eigenen – auch als Thüringen längst „Durchgangsland" geworden war. In der Vielfalt liegt die Gemeinsamkeit der thüringischen Kulturlandschaft und Geographie. Und noch bis in die jüngere Vergangenheit blieb Thüringen Vorlage für die bunteste Landkarte politisch-geographischer Mannigfaltigkeit fürstlicher Residenzen. Es war zum Inbegriff des Partikularismus geworden. Das mittelalterliche Land der Burgen hatte sich zum Gebiet unzähliger Schlösser und Herrensitze gewandelt – doch geschah dies zu seinem Vorteil: Von dort wie von den dicht beieinander liegenden Städten gingen kulturelle Impulse auf das umliegende Land über. Das geschah selbst zu Zeiten, da sich viele Höfe Neuem noch weitgehend verschlossen. Ist es die zentrale Lage, welche – bei aller Enge und Begrenztheit der Residenzen – Wachheit und Weitblick immer wieder begünstigte? Thüringens kulturhistorische Leistung liegt in der Vielgestaltigkeit, welche das Allgemeine im Querschnitt der Epochen zeigt.

Was wohl in den Zeiten des Minnesanges und der ritterlichen Tugenden dem Heranwachsen des bürgerlichen Gemeinwesens den Städten seine Ausstrahlung verlieh, das bewirkte heute seit der Rückbesinnung auf die Natur eine neue

The cultural history of THURINGIA

Nestling in the middle of Europe, Thuringia has always been steeped in various external influences. Different cultures have been intermingling here since early prehistoric times. The Celts and Romans advanced as far as this point, Thuringian and Franken laid the first foundations for subsequent cultural development, Slavs later added their contributions. In the "centre of the vortex", much that was foreign was transformed into its own – even after Thuringia had long become a "transit country". Similarities lie in the diversity of Thuringia's cultural landscape and geography. And, even up until recent times, Thuringia remained an example of the most colourful map of political-geographical multifariousness of royal residences. It had become the epitome of particularism. The medieval country of castles had transformed itself into a region of countless palaces and stately homes – and yet this was to its own advantage: Cultural impulses migrated both from there as from the closely spaced towns into the surrounding countryside. This occurred even at times when many courts were still largely shut themselves anything new. Is it the central location which – despite the constrictions and limitations of the residencies – repeatedly favours vigilance and foresightedness? The cultural-historical accomplishment of Thuringia lies in polymorphism, which demonstrates the universal in the cross-section of the ages

What once bestowed its appeal towards castles in the days of courtly love-songs and knightly virtues, is now bestowed by the countryside of Thuringia since the return to nature. Where the barren habitat of Rhön and the Thuringian Forest, the growing Slate Mountains above the

Histoire culturelle de la THURINGE

Située au cœur de l'Europe, la Thuringe a subi de nombreuses influences ; diverses cultures s'y sont rencontrées depuis les premiers temps historiques. Les Celtes et les Romains ont traversé cette région ; les Thuringes et les Francs y ont posé les bases d'une civilisation à laquelle les Slaves se joindraient plus tard. Toutes ces influences étrangères furent brassées en une culture commune. La diversité marque autant la géographie que le paysage culturel de la Thuringe. Jusque dans un passé assez récent, le particularisme a caractérisé la Thuringe ; sur la carte historique de l'Allemagne, elle était sans aucun doute une des régions les plus bigarrées en matière de diversité politique illustrée par les nombreuses anciennes résidences princières. Les seigneuries médiévales qui se partageaient la région se transformèrent en divers petits États souverains, ce qui avantagea la Thuringe : elle profita dans sa globalité des impulsions culturelles venant des palais et des villes pratiquement voisines. Ces échanges eurent lieu même lorsque certaines cours princières n'étaient guère ouvertes aux courants nouveaux. Est-ce en raison de sa situation géographique centrale que la Thuringe a toujours privilégié un climat de vigilance et clairvoyance en dépit des limites étroites des petits États ? La Thuringe à elle seule a engendré une incroyable diversité historico-culturelle qui franchit les diverses époques de l'histoire allemande.

La nature magnifique de la Thuringe chantée par les troubadours à l'époque de la chevalerie attira à la fin du Moyen Âge une communauté bourgeoise qui permit la croissance des villes. Cette nature a de nouveau retrouvé une place majeure dans le

Anziehungskraft der thüringischen Landschaft. Zogen zunächst der karge Lebensraum von Rhön und Thüringer Wald, das über die Saale aufwachsende Schiefergebirge und das waldreiche Hügelland zwischen Saale und Elster im 19. Jahrhundert die Entdecker der „natürlichen Quellen für menschliches Schaffen" an, so erkundeten mit dem 20. Jahrhundert die wanderfreudig gewordenen Städter und Interessierte entfernterer Herkunft Thüringens Berge und Wälder sowie seine „lieblichen Täler und Auen". Mit dem Kunstfreund Franz Kugler besangen sie: „Burgen stolz und kühn an der Saale hellem Strande" und fanden zu neuem Lebensgefühl. Thüringen wurde ein „grünes Herz".

Die Thüringer blicken in der Tat zurück, die Glasbläser von Lauscha, die Tuchmacher von Greiz, die Kleineisenschmiede von Schmalkalden, die Waffenschmiede von Suhl und die Spielzeugmacher Sonnebergs. Aus dem mittelalterlichen Bergbau und der Eisenverarbeitung entwickelte sich in Suhl mit dem Zunftprivileg für Büchsenmacher und Schlosser seit 1563 die Handfeuerwaffen-Herstellung. Älter noch sind die Ursprünge der Industrien von Schmalkalden und Ilmenau, wo gleichfalls Kupfer-, Eisen- und Silberförderung die Grundlage für die handwerkliche Metallgerätefertigung bildeten. Seit 1323 waren die Minen in Ilmenau in Betrieb, 1397 tauchten Schmalkaldener Eisenwaren auf den Handelsplätzen in Frankfurt/Main auf. 1539 brachten protestantische Niederländer die zur Herstellung glatter Gewebe erforderlichen Kenntnisse nach Gera mit. Sie legten damit den Grundstein für die Textilindustrie

Saale and the densely wooded hills between Saale and Elster once drew the discoverers of the "natural source for human creativity" during the 19th century, is now in turn being discovered by 20th century hike-loving townsfolk and people interested in the distance origins of Thuringia's mountains and forests as well as their "dear little valleys and meadows". With the art lover Franz Kugler, they praised "Castles proud and bold on the Saale's bright shores" and found a new lease of life. Thuringia became a "green heart".

Indeed, the people of Thuringia look back in time, the glass blowers of Lauscha, the clothmakers of Greiz, the ironmongery from Schmalkalden, the arms-makers from Suhl and the toy-maker Sonneberg. In Suhl, with guild privileges for gunsmiths and locksmiths, the manufacture of small arms has been developing from the medieval mining and iron industry since 1563. The origins of the industries from Schmalkalden and Ilmenau, where likewise copper, iron and silver mining formed the basis for handcrafted metal tool production, are even older. The mines in Ilmenau have been operating since 1323, 1397 ironware from Schmalkalden appeared at the trading centres in Frankfurt/Main. In 1539, Dutch Protestants brought the necessary knowledge needed to produce smooth fabrics to Gera, thus lying down the foundation for the textile industry of the 19th and 20th century in the towns located in East Thuringia and Vogtland. Thuringia completed the leap to an industrial state in the late 19th century when the Ruhla

monde d'aujourd'hui. Au XIXe siècle, les espaces peu peuplés de la Rhön et du Thuringer Wald, le Schiefergebirge (Monts métallifères) surplombant la Saale et les collines boisées entre les cours d'eau Saale et Elster étaient parcourus par des chercheurs de « sources naturelles destinées aux réalisations de l'Homme ». Mais à partir du XXe siècle, ce furent les habitants des villes de la province, puis plus tard les vacanciers venus de toute l'Allemagne et d'ailleurs qui découvrirent les superbes randonnées offertes par les campagnes, forêts, monts et vallées de la Thuringe. Une nature célébrée par l'historien d'art Franz Kugler : « Châteaux fiers et téméraires sur les rives claires de la Saale... ». La Thuringe est redevenue un « poumon vert » de l'Allemagne, où il fait bon vivre.

La Thuringe raconte un passé artisanal et industriel captivant : les souffleurs de verre de Lauscha, les drapiers de Greiz, les couteliers de Schmalkalden, les fabricants d'armes de Suhl et les fabricants de jouets de Sonneberg ont entre autres participé à l'essor de la région. Dès 1563, l'industrie armurière se développa à Suhl à partir de l'exploitation et du traitement du minerai de fer, et grâce aussi aux privilèges corporatifs des armuriers et serruriers. Plus anciennes encore sont les origines des industries de Schmalkalden et d'Ilmenau, où l'extraction du cuivre, du fer et de l'argent posèrent également les bases de la fabrication artisanale d'objets en métal. Les mines d'Ilmenau étaient exploitées depuis 1323. En 1397, la quincaillerie provenant de Schmalkalden apparut sur les marchés de Francfort-sur-le-Main. En 1539, des Néerlandais protestants apportèrent à Gera leur savoir en matière de tissage d'étoffes

des 19. und 20. Jahrhunderts in den ostthüringischen und vogtländischen Städten. Den Sprung zum Industrieland vollzog Thüringen im späten 19. Jahrhundert, als die Ruhlaer Messerschmiede sich der Uhrenproduktion zuwandten, die Glasherstellung und der Bau optischer Geräte den Weltruhm Jenas begründeten, die Eisenacher Fahrzeugfabrik 1000 Arbeiter beschäftigte, in Altenburg drei große Nähmaschinenfabriken entstanden, Saalfeld mit der nah gelegenen Maxhütte sich zum Ort industrieller Roheisengewinnung, Eisenverarbeitung und des Maschinenbaus wandelte, Apolda ein „thüringisches Manchester" und Gotha die Stadt des Straßenbahnbaus wurden.

Handel und Gewerbe hatten also die Grundsteine für die Entfaltung des territorialfürstlichen Wohlstandes gelegt. An den Höfen von Gotha, Sondershausen, Meiningen, Rudolstadt, vor allem aber in Weimar sammelten sich die großen Geister ihrer Epochen, während in den „Armenhäusern", den Bergdörfern, auch mit der Industrialisierung im 19. Jahrhundert der krasse soziale Gegensatz zu fürstlicher Hofhaltung und patrizisch-industriebürgerlichem Reichtum bestehen blieb. Nicht zuletzt erhellte dies die dortigen Bürger, weshalb sich gerade im Thüringischen die Arbeiterschaft so früh zu formieren begann. 1869 gründete sich in Eisenach die Sozialemokratische Arbeiterpartei Deutschlands, und 1875 fand in Gotha der Vereinigungskongress der mit unterschiedlichen Programmen angetretenen "Eisenacher" und „Lassalleaner" statt.

knife smith turned towards production of clocks, glass manufacturing and construction of optical appliances founded the world-famous Jena, the Eisenach vehicle factory employed 1,000 workers, three large sewing machine factories appeared in Altenburg, Saalfeld with its nearby Maxhütte turned into the site for industrial crude iron extraction, iron processing and engineering, Apolda became a "Thuringian Manchester" and Gotha rose to be the city for tramway construction.

It was therefore trade and industry which laid the foundation for the evolvement of the prosperity of the territorial princes. The great minds of their eras gathered at the courts of Gotha, Sondershausen, Meiningen, Rudolstadt, but especially in Weimar, whilst in the "poor houses", the mountain villages, the crass social contrast to the royal court and patrician-industrial bourgeois riches still remained; despite the industrialisation which had taken place during the 19th century. This, if nothing else, explains why the worker's movement in Thuringia began to take shape. In 1869, the Socialist Working Party of Germany was established in Eisenach and the Party Congress took place in Gotha with different programmes from the "Eisenacher" and "Lassalleaner" who took part.

A melting pot of great minds

One must look far back into history when searching for the bedrock of humanistic mentality which, particularly in Thuringia, unfolded so richly and the musical diversity which is so striking.

lisses, posant ainsi les fondations de l'industrie textile des villes de l'est de la Thuringe et du Vogtland. Cette industrie prit un énorme essor aux XIXe et XXe siècles. À la fin du XIXe siècle, l'industrialisation gagna globalement la Thuringe, lorsque les couteliers de Ruhla se tournèrent vers l'horlogerie, que la fabrication du verre et d'appareils optiques apporta une réputation mondiale à Iéna, que l'usine automobile d'Eisenach employait 1000 personnes et que trois grandes manufactures de machines à coudre étaient créées à Altenburg. Par ailleurs, Saalfeld, grâce aux mines de fer proches, devenait un lieu important d'extraction et de transformation du fer, sans oublier la construction mécanique. Apolda fut surnommée la « Manchester de Thuringe » et Gotha la « ville de la fabrication des tramways ».

Le négoce et l'artisanat posèrent les bases qui apportèrent la prospérité aux divers États souverains. Les grands esprits des diverses époques fréquentaient les cours de Gotha, Sondershausen, Meiningen, Rudolstadt et surtout de Weimar. Par contre, la pauvreté régnait dans les localités rurales et minières. L'industrialisation au XIXe siècle n'améliora nullement l'énorme contraste entre la vie princière des cours des souverains, la richesse de la grande bourgeoisie industrielle et la misère des petites gens. Cela explique pourquoi la Thuringe fut très tôt le berceau de mouvements ouvriers. Le parti social-démocratique des travailleurs allemands était créé en 1869 à Eisenach. En 1875, le congrès d'unité des socialistes allemands qui eut lieu à Gotha réunit le parti social-démocratique d'Eisenach et l'Association générale des travailleurs allemands fondée par Lassalle.

Ein Schmelztiegel großer Geister

Man muss weit in die Geschichte zurückblicken, sucht man nach den Grundlagen für die gerade im Thüringischen so reich entfaltete humanistische Geisteshaltung und die so auffällige musische Vielfalt.

Beginnt alles mit des Landgrafen Ludwigs Urenkel Hermann I., als dieser Ende des 12. Jahrhunderts auf der Wartburg einen „Musentempel" initiierte, für den ihn Walther von der Vogelweide, Wolfram von Eschenbach und Jahrhunderte später Richard Wagner priesen? Oder muss man beim sozialen Engagement der aus ungarischem Königshaus stammenden Gemahlin des Hermann-Sohnes Ludwig IV., der bald nach ihrem frühen Tod heilig gesprochenen Elisabeth ansetzen? Die Erfurter Scholaren des Dominikanerklosters und der Augustiner-Eremiten lauschten 1294-98 Eckhart von Hochheim, dem Meister der deutschen Mystik, Hermann von Schildesche, Heinrich von Friemar und anderen Predigern. 1379 bezeugt die von Papst Clemens VII. gezeichnete Urkunde das Zusammenlegen der geistlichen, grammatischen, astronomischen und medizinischen Lehreinrichtungen zur ersten städtischen Universität in Erfurt, welche auch eine theologische Fakultät einschloss. Hier trug sich im April 1501 der junge Martin Luther aus Mansfeld in die Matrikel ein, 1507 erhielt er im Erfurter Dom die Priesterweihe.

Unübersehbar im humanistisch-politischen Spektrum bleibt das Wirken des gothaischen Herzogs Ernst I. des Frommen für den Aufbau der in den Kriegswirren 1630 nahezu vernichteten Stadt und

Did everything begin with Landgrave Ludwig's great-grandson Hermann I, when he initiated a "Muse Temple" on the Wartburg towards the end of the 12th century, and for which he was praised by Walther von der Vogelweide, Wolfram von Eschenbach and, centuries later, Richard Wagner? Or should it be attached to the social commitment of Elizabeth who originated from the royal house of Hungary, wife of Hermann's son Ludwig IV, and who was canonised shortly after her early death? Between 1294–98, the Erfurt scholars of the Dominican monastery and the Hermits of Augustine listened to Eckhart von Hochheim, master of German Mysticism, Hermann von Schildesche, Heinrich von Friemar and other preachers. The deed signed in 1379 by Pope Clemens VII bears witness to the amalgamation of the spiritual, grammatical, astronomical and medical educational establishments into the first municipal university in Erfurt, which also included a theological faculty. It was here that young Martin Luther from Mansfeld matriculated in April 1501; in 1507 he was ordained as a priest in the Erfurt Cathedral.

What remains highly visible in the humanistic-political spectrum is the work of Gotha's Duke Ernst I the Pious, for the reconstruction of the city and state of Gotha which were virtually destroyed during the chaos of war in 1630. It is not merely for his services regarding urban development but also primarily for his far-sighted reforms in administration, law and finance and in the educational system, including the introduction of public schooling, which, from a historical perspective, thrust Ernst I into the ranks of great

Un creuset des grands esprits

Il faut remonter loin dans le passé pour trouver les bases sur lesquelles allait reposer le développement remarquable de la diversité musicale et de l'esprit humaniste, si particulier à la Thuringe.

Tout commença-t-il avec le comte Hermann Ier, lorsqu'à la fin du XIIe siècle, il organisa dans son château de la Wartburg un grand tournoi de troubadours qui réunit des noms célèbres tels que Walther von der Vogelweide et Wolfram von Eschenbach? Un événement si important que des siècles plus tard, Richard Wagner le prit pour thème dans son œuvre. Où doit-on partir de l'engagement social de la princesse Élisabeth, fille du roi de Hongrie et épouse de Louis IV, fils de Hermann, qui fut canonisée peu de temps après sa mort précoce? Les élèves du monastère des Dominicains et ceux de l'ordre des Ermites de Saint-Augustin à Erfurt eurent pour maîtres, de 1294 à 1298, Eckhart von Hochheim, fondateur du mysticisme allemand, Hermann von Schildesche, Heinrich von Friemar et autres prédicateurs. Un acte de 1379, signé par le pape Clément VII, documente la réunion d'écoles de philosophie, de grammaire, d'astronomie et de médecine pour former la première université municipale d'Erfurt qui inclut également une faculté de théologie. Le jeune Martin Luther, né à Eisleben, s'y inscrivit en 1501 et serait ordonné prêtre dans la cathédrale d'Erfurt en 1507.

L'œuvre du duc Ernest 1er le Pieux de Gotha occupe une place importante dans les domaines humaniste et politique. Il fit reconstruire le duché

des Staates Gotha. Nicht nur seine städtebaulichen Leistungen, sondern vor allem auch seine von Weitsicht geprägten Reformen in der Verwaltung, im Rechts- und Finanzwesen und im Bildungssystem, darunter die Einführung der Volksschulpflicht, rücken Ernst I. in historischer Sicht in die Reihe großer Staatsmänner und Gründer. Als absolutistischer Fürst und strenger lutherischer Christ wirkte er durch seine Aufgeschlossenheit weit in die Zeiten seiner liberalistisch eingestellten Nachfolger. Lucas Cranach und Johann Sebastian Bach hatten in Weimar bereits ihre Zeichen gesetzt, ehe sich hier seit den 70er Jahren des 18. Jahrhunderts die geistige Kraft einer entstehenden Nation konzentrierte – im Land der Kleinstaaterei und zu einem Zeitpunkt, da der Weimarer Herrensitz, die Wilhelmsburg, in Trümmer gesunken und die Stadt mit ihren etwa 6000 Einwohnern fast noch ein Dorf war. 1775 kam der junge Johann Wolfgang von Goethe nach Weimar, das nun zu einem Zentrum deutscher Klassik aufsteigen sollte. Für ein halbes Jahrhundert erstrahlte der literarische Glanz, der bis heute nicht erloschen ist. Man kann weder Anspruch noch Rang dieser Stadt kaum besser lebendig werden lassen als in Ernst Rietschels Denkmal für Goethe und Schiller auf dem Platz vor dem Weimarer Nationaltheater. Es würdigt Geistesgröße und Menschlichkeit dieser beiden so unterschiedlichen und doch geistesverwandten Dichter und Gelehrten. Eng geknüpft bleibt auch der Faden zu Jena, dessen Universität Schillers Namen trägt und – seit der „Verlegenheitsgründung" durch den Kurfürsten Johann Friedrich den Großmütigen als Ersatz für die ihm verloren gegangene Wittenberger Universität – von 1557 an ein Ort streitbarer Geister war.

statesmen and founders. As an absolutist prince and strict Lutheran Christian, his work was felt far into the times of his liberal successor, through his open-mindedness. Lucas Cranach and Johann Sebastian Bach had already left their mark in Weimar before the spiritual force of an emerging nation, existing since the 70's of the 18th century, focused here - in the land of small states and at a time when the Weimar seat, the Wilhelmsburg, fell into ruins and the town with its population of around 6,000 was still practically a village. The young Johann Wolfgang von Goethe came to Weimar in 1775, which should now rise to a "Hellas" of German classicism. The literary brilliance shone for half a century and is still not extinguished today. This entitlement, but also the standing of this city, could hardly be brought to life more aptly than in Ernst Rietschel's monument to Goethe and Schiller on the square in front of the Weimar National Theatre. Minds and humanity of the two could hardly be more different and yet the poets and scholars were so kindred-spirited. The links to Jena, whose university bears Schiller's name, also remain closely woven and – since the "founding embarrassment" by Elector Johann Friedrich the Magnanimous as a replacement for his lost Wittenberg University – has, since 1557, become a place for polemic spirits.

Monasteries, fortified churches, palaces and castles from the Middle Ages (or their ruins) and, since the 16th century, many small and large palaces of the Thuringian cultural landscape are still featuring characteristics along the Saale today. The Eichsfeld has lived for centuries with

et la ville de Gotha presque entièrement ravagés en 1630 durant la guerre de Trente Ans. Outre ses mérites de bâtisseur, ce souverain clairvoyant fait partie des grands hommes d'État de l'histoire allemande en raison des réformes qu'il accomplit en matière d'administration, de droit, de finances et d'éducation. Il introduisit par exemple la scolarité obligatoire. Ce souverain au pouvoir absolu, adepte du luthéranisme, avait un esprit ouvert qui influença son successeur dans ses idées libérales. Lucas Cranach et Jean-Sébastien Bach avaient déjà laissé leurs empreintes à Weimar avant que les forces spirituelles d'une nation en train de naître ne s'y concentrent à partir des années 1770, cela à une époque où la Wilhelmsburg, résidence des souverains, était en ruine et la ville encore un bourg de quelque 6000 habitants seulement. Futur grand homme de la musique classique allemande, le jeune compositeur Johann Wolfgang von Goethe vint séjourner à Weimar en 1775. Pendant cinquante ans, la ville brilla d'un éclat littéraire dont le souvenir ne s'est pas terni jusqu'à aujourd'hui. Réalisé par Ernst Rietschels, le monument à Goethe et Schiller qui se dresse sur la place devant le théâtre national de Weimar évoque l'importance spirituelle de cette ville marquée par l'esprit et l'humanité de deux écrivains très différents, l'un poète romantique, l'autre homme de plume savant, mais âmes sœurs et amis. Les liens sont également restés très étroits avec Iéna, dont l'université porte le nom de Schiller. Fondée en 1557 par le prince-électeur Jean-Frédéric de Saxe le Magnanime, pour remplacer l'université de Wittenberg qu'il avait dû abandonner, cette université accueillit aussi des polémistes et intellectuels de renom.

Noch immer kennzeichnen Klöster, wehrhafte Kirchen, Pfalzen und Burgen aus dem Mittelalter (oder deren Ruinen) und seit dem 16. Jahrhundert die vielen kleineren und großen Schlösser Thüringens Kulturlandschaft – nicht etwa nur, wie besungen, entlang der Saale. Das Eichsfeld lebt seit Jahrhunderten mit und von ihnen; und in den alten Residenzen Gotha, Altenburg und Rudolstadt. Schwarzburg und Sondershausen, Schmalkalden und Greiz sind Schlösser und zugleich Stadtkronen, gleichermaßen bauliche Höhepunkte Thüringens. Nicht minder verdeutlichen die historischen Stadtkerne mit Rat- und Bürgerhäusern das Heranreifen merkantiler und handwerklich gewerblicher Kraft, deren baukünstlerische Versinnbildlichung allerdings ohne die Quelle und den Widerpart höfischer Kultur- und Lebensform kaum denkbar gewesen wäre. In den Flusstälern von Werra, Saale und Elster wandelte sich hier vieles abermals. Die wilden Gebirgsflüsse aus dem Thüringer Wald und dem Schiefergebirge bändigte man längst, staute und nutzte sie im Industriezeitalter für den Bedarf an Energie und Trinkbarem. Die gewaltigen Rohrbündel des Pumpspeicherwerkes Hohenwarte II steigen heute die steilen Hänge des Saaletals empor, um aus dem oberen Becken das Wasser auf die Schaufelräder der Turbinen stürzen zu lassen. Das Bild unserer modernen Zeit.

and from them; as it does in the old residences of Gotha, Altenburg and Rudolstadt. Schwarzburg and Sondershausen, Schmalkalden and Greiz are palaces that serve as city crowns as well as architectural highlights of Thuringia. The historic town centres with town hall and town houses are no less illustrative to the burgeoning of the mercantile and manual commercial power, whose architectural symbolisation would, however, be practically unimaginable without the source and counterpart of courtly culture and way of life. In the river valleys of the Werra, Saale and Elster much is altered as well. The wild mountain rivers from the Thuringian Forest and the Slate Mountains have long been tamed, dammed and used during the industrial age for energy needs and drinking. The huge bundle of pipes from the pumped storage plant Hohenwarte II still rises up the steep slopes of the Saale valley today, in order to plunge back down from the upper basin onto the turbines' paddle wheels. The image of a modern world.

Jusqu'à aujourd'hui, les paysages de la Thuringe abondent en monastères, églises fortifiées et châteaux de l'époque médiévale, parfois restaurés, parfois en ruine. Les châteaux et gentilhommières bâtis à partir du XVIe siècle sont également nombreux, pas seulement sur les rives de la Saale, mais aussi dans la contrée historique de l'Eichsfeld située au nord-ouest de la Thuringe. Témoins admirables de l'art architectural en Thuringe, les châteaux de Gotha, Altenburg, Rudolstadt. Schwarzburg, Sondershausen, Schmalkalden et Greiz rappellent que ces villes furent jadis des résidences comtales ou princières. Les cœurs historiques des localités abritent pour la plupart de superbes hôtels de ville, maisons bourgeoises et demeures patriciennes évoquant le développement du commerce et de l'artisanat, mais dont les formes architecturales provenaient toutefois des impulsions culturelles nées dans les cours des souverains. Les vallées de la Werra, de la Saale et de l'Elster connurent de nombreux changements au fil du temps. On dompta, endigua, canalisa les torrents fougueux du Thüringer Wald et du Schiefergebirge pour obtenir de l'énergie hydraulique et des réserves d'eau potable. Les énormes tuyaux de pompes de la station hydraulique Hohenwarte II grimpent aujourd'hui les versants abrupts de la vallée de la Saale jusqu'au bassin supérieur d'où l'eau se déverse sur les aubes des turbines. Image de la Thuringe moderne.

1067 ließ sich der Ludowinger Ludwig der Springer zu einer List hinreißen, um auf einem von ihm begehrten Felsensporn eine Burg zu bauen. Er ließ so viel Erde von seinem Grund und Boden heranschaffen, dass glaubwürdige Zeugen aussagten, ihre Schwerter seinen bis zum Schaft im Boden des Ludowingers versunken. Damals funktionierte diese Tücke und er ließ den Grundstein zu einer Burg setzen, die bedeutungsvolle Geschichte erleben sollte. Die Wartburg machte Karriere und wurde gräflicher Stammsitz. Später erhielt sie sogar den Status des Nationaldenkmals.

In 1067 Ludwig der Springer of the Ludowing dynasty used a cunning ruse to build a castle on what he saw as a desirable spot on a rocky peak. He had so much earth from his own lands shifted to the hill that reliable witnesses reported their swords sank in it up to the shaft. The trick worked. Ludwig claimed the site as his property and laid the foundation stone to a fortress whose chequered history was to be of significance for the whole nation. The Wartburg became the seat of the Thuringian landgraves, and later even one of Germany's foremost national monuments.

En 1067, le comte Louis le Sauteur recourut à une ruse pour pouvoir construire un château sur un éperon rocheux qu'il convoitait. Il fit recouvrir l'endroit d'une épaisse couche de terre rapportée de son domaine, si friable que des témoins dignes de foi déclarèrent que leurs épées s'étaient enfoncées dans le sol jusqu'à la poignée. Grâce à ce stratagème, il put bâtir une forteresse qui deviendrait célèbre dans l'histoire est aujourd'hui un monument national inscrit au patrimoine mondial depuis 1999.

Der Erneuerer der Wartburg, Großherzog Carl Alexander von Sachsen-Weimar-Eisenach, gab den Bau eines Hotels in Auftrag, um die zahlreichen Gäste der Wartburg zu bewirten. Sein heutiges Aussehen erhielt das Hotel in den letzten zwei Jahrzehnten, welches die gasthöfliche Tradition vergangener Zeiten bewahrt. Es wurde stets darauf geachtet, dass der einzigartige Wartburg-Stil erhalten blieb. Für einen Gaumenschmaus der besonderen Art sorgen die mehrfach ausgezeichnete Küche der „Landgrafenstube" sowie die rustikale Burgschenke.

It was Grand Duke Carl Alexander von Sachsen-Weimar-Eisenach who restored the Wartburg and also had a hotel built to accommodate the numerous visitors to the castle. The hotel's present-day aspect results from restoration work of the last two decades. This has maintained the building's traditional inn-like atmosphere of past eras, paying constant attention to preserving the Wartburg's unique characteristics. Special culinary delights are on offer in the Landgrafenstube restaurant, whose cuisine has won several awards, and in the rustic castle tavern.

Le grand-duc Carl Alexander de Saxe-Weimar-Eisenach fit construire un hôtel pour accueillir les nombreux visiteurs de la Wartburg. L'édifice a reçu son aspect actuel au cours des deux dernières décennies, tout en ayant conservé son ancienne tradition de convivialité, de même que le style unique de la Wartburg. La cuisine plusieurs fois primée du restaurant « Landgrafenstube » de la Wartburg offre une expérience gastronomique de grande classe ; mais on mange également très bien dans la « Burgschenke » rustique.

1377 wurden durch einen Brand große Teile der Wartburg zerstört. Somit wurden das Torhaus, das Ritterhaus sowie die Vogtei erst später im Fachwerkbau neu errichtet. Die beiden Wehrgänge der Vorburg, der Margarethengang (westlich) und der Elisabethengang (östlich) schließen sich an das Torhaus an. In der Vogtei, in der sich die Lutherstube befindet, versteckte sich Luther als Junker Jörg während seines Aufenthaltes auf der Wartburg. Ein Gemälde des Junker Jörg von Lucas Cranach des Älteren von 1522 ist an der Wand der Lutherstube zu sehen.

Much of the original Wartburg was destroyed in a fire of 1377. The gatehouse, residential hall and steward's house were subsequently rebuilt, this time in half-timbered style. The two battlement walkways, the Margarethengang (west) and Elisabethengang (east), are connected to the gatehouse. Luther's chamber, in the steward's house, is where Luther hid during his stay in the Wartburg, disguised as Junker Jörg (Squire George). A painting of Junker Jörg by Lucas Cranach the Elder, dating from 1522, can be seen on the wall of Luther's chamber.

En 1377, un incendie détruisit une grande partie du château de la Wartburg. La porte, la maison des chevaliers et la « Vogtei » (intendance), furent reconstruites à colombages. Les deux chemins de ronde couverts, le Margarethengang (partie ouest) et l'Elisabethengang (partie est) rejoignent l'imposante porte. Dans la Vogtei, se trouve la chambre que Luther, mis au ban de l'Empire, occupa, sous le nom d'emprunt de Junker Jörg. Un portrait de Junker Jörg peint en 1522 par Lucas Cranach l'Ancien orne un des murs de l'appartement de Luther.

Nachdem Martin Luther die Reformation angezettelt hatte, wurde er vom Kaiser 1521 als „vogelfrei" deklariert. Kurfürst Friedrich der Weise ließ auch diesesmal seinen Schützling nicht im Stich und verbrachte ihn inkognito als „Junker Jörg" auf der Wartburg. Es begannen „Hundert Tage Einsamkeit" (11 Wochen), während derer Martin Luther das Neue Testament übersetzte. „Dr. Luthers Stube" nannte man schon zu Zeiten des Reformators das „Kavaliersgefängnis" im Vogteigebäude. Die sogenannte Lutherbibel vermittelte dem einfach Volk mit verständlichen Worten die Inhalte der Bibel.

After Martin Luther had initiated the Protestant Reformation, Emperor Charles V declared him an outlaw in 1521. Elector Frederick the Wise kept his promise to protect Luther, however, and transported him to the Wartburg incognito. Here, under the pseudonym of Junker Jörg (Squire George), Luther completed his German translation of the New Testament in eleven solitary weeks. Even in his lifetime, his study in this lenient prison was known as Dr Luther's Room. Luther's translation provided a readable version of the Bible for the mass of uneducated people of his time.

Après que Martin Luther eut « fomenté » la Réforme, il fut mis au ban de l'Empire en 1521. Frédéric le Sage, prince-électeur de Saxe et protecteur de Luther, le cacha alors à la Wartburg où il vécut incognito sous le nom d'emprunt de « Junker Jörg ». Commencèrent « 100 jours de solitude » (onze semaines) durant lesquels le moine traduisit le Nouveau Testament en allemand, permettant ainsi à une grande partie de la population de lire le contenu de la Bible. Son appartement, situé dans la Vogtei (intendance) fut déjà appelé le « logis du Dr Luther » par ses contemporains.

DE DER SÆNGER-
EN 7ten JULI 1207
HEIL: ELISABETH

Die Fresken von Moritz von Schwind zeigen aus der Geschichte der Wartburg den sagenumwobenen Sängerkrieg des 13. Jh.; es soll bei diesem Wettstreit um Kopf und Kragen gegangen sein. Grundlage dieser Sage um den Sängerkrieg ist eine Sammlung der Spruchdichtungen, welche sogar bis ins 15. Jh. weitergeführt wurden. — Die Dimensionen des Festsaales sind noch heute beeindruckend. Die getäfelte Ausarbeitung und die Form des Raumes bietet eine außergewöhnliche Resonanz. Es gibt kaum einen anderen Saal in Deutschland der für Konzerte so begehrt ist.

The frescoes by Moritz von Schwind depict scenes from the history of the Wartburg, such as the legendary Singers' Contest, held in the thirteenth century – a contest taken so seriously that it became a matter of life and death. In addition, the Great Hall is valued for its collection of medieval poems that was maintained until the 15th century. — The dimensions of the hall are impressive even today. Its shape and wooden panelling create such an extraordinary acoustic environment that hardly any other room in Germany is in such demand as a concert hall.

Les fresques de Moritz von Schwind illustrent l'histoire de la Wartburg dont fait partie le légendaire tournoi des troubadours du XIIIe siècle, où les participants auraient même mis leur vie en jeu. La collection de dictons poétiques, achevée au XVe siècle, est également très importante. — Les dimensions de la salle des fêtes sont imposantes. La forme de la salle, associée à son recouvrement de superbes lambris en bois, lui confère une acoustique incomparable. Peu de salles en Allemagne sont autant recherchées pour y donner des concerts.

Im ältesten Teil der Wartburg, dem spätromanischen Palas, auch Landgrafenhaus genannt, lebte die ungarische Königstochter Elisabeth, die 1221 den Landgrafen Ludwig IV. ehelichte. Sie opferte sich für Arme und Kranke auf. Sehenswert ist die Elisabethenkemenate, die im neobyzantinischen Stil von Prof. August Oetken aus Glasmosaiken (1902-06) erschaffen wurde, sowie die Elisabethengalerie, die 1854/55 von Moritz von Schwind mit einem Freskenzyklus die Geschichte der Wartburg, des Sängerkrieges und der Elisabeth-Legende darstellt.

The oldest part of the Wartburg is the Late Romanesque Great Hall, or Landgrave's house. Here lived Ellsabeth, the daughter of the King of Hungary, who married Landgrave Ludwig IV in 1221 and devoted her life to the care of the poor and sick. The so-called Elisabeth Chamber, decorated in neo-Byzantine style from 1902-6 with glass mosaics by August Oetken, is well worth a visit, as is the Elisabeth Gallery, with a cycle of frescoes by Moritz von Schwind depicting the history of the Wartburg, the minstrel's contest and the Legend of St Elisabeth.

Dans la partie la plus ancienne de la Wartburg, bâtie en style roman tardif, et appelée « Landgrafenhaus », vivait Elisabeth, fille du roi de Hongrie, qui épousa en 1221 le landgrave Louis IV, et se dévoua aux pauvres et aux malades. Ses anciens appartements appelés « Elisabethenkemenate » sont décorés de mosaïques de verre de style néo-byzantin réalisées par August Oetken de 1902 à1906. Dans la galerie Elisabeth, un cycle de fresques peintes en 1854/55 par Moritz von Schwind raconte l'histoire de la Wartburg, la guerre des chanteurs et la légende d'Elisabeth.

▽ Blick zur Georgenkirche – Taufkirche von Johann Sebastian Bach   △ Stadtblick mit Schloss (vorn)   ▽ Marktplatz, Brunnen mit St. Georg dem Drachentöter und Rathaus

Eisenach ist heute eine moderne Stadt mit großem geschichtlichen Hintergrund. Hier pflegt man die Vermächtnisse der Vergangenheit, denn sie sind allgegenwärtig. Mit dem Bau der Wartburg entstand auch die Stadt Eisenach. Sie war schon immer in vielerlei Hinsicht ein Anziehungspunkt, denn sie liegt mitten in Deutschland und Europa. Die Handelswege spülten eine Vielfalt an Menschen an, welche auch in kultureller Hinsicht eine große Bereicherung für die Stadt waren und ihre Geschichte mit prägten. Später entwickelte sich eine lebhafte Industrielandschaft, die heute noch floriert.

Today, Eisenach is a modern town that takes pride in its long and eventful history. The townspeople carefully preserve their heritage, and historical sites can be found everywhere. Eisenach, founded at the same time as the Wartburg, has always proved an attractive location, for it stands in the centre of both Germany and Europe. The trade routes that once traversed the town brought in a diversity of new residents who enriched life in Eisenach in numerous ways and shaped the course of its history. Later the town became a flourishing industrial centre, and remains so today.

Eisenach est aujourd'hui une ville moderne fière d'un important passé historique. On y entretient soigneusement les legs du passé, présents partout. La construction de la Wartburg conduisit à la fondation d'Eisenach. Située au cœur de l'Allemagne et de l'Europe, la ville fut très tôt un lieu stratégique. Par les grandes routes marchandes arriva une énorme diversité de gens qui enrichirent la ville de leurs cultures différentes et marquèrent son histoire. Plus tard, Eisenach se développa également en une ville industrielle prospère, toujours florissante jusqu'à aujourd'hui.

Im Zentrum der Stadt, am Frauenplan, steht das Bachhaus. Es ist weltweit das erste und damit zugleich älteste Museum, welches an den großen Johann Sebastian Bach erinnert. Vermutlich wurde Bach am 21. März 1685 als achter Sprössling des Stadtpfeifers Bach hier geboren. Bis zu seinem zehnten Lebensjahr wuchs er in diesem Haus auf. Seit Mai 2007 ist die Ausstellungsfläche über Bachs Musikleben mit einem angebauten preisgekrönten Neubau erweitert worden, die einen noch interessanteren Einblick in das Musikleben Bachs vermittelt.

In the centre of the town, at the Frauenplan, stands the Bach House. It is a memorial to Johann Sebastian Bach, who was born in Eisenach on 21 March 1685, the eighth child of the town musician Ambrosius Bach. He lived in this house up to his tenth year. Since 2007, the exhibition area devoted to Bach's musical life has been expanded with a prize-winning new extension that gives an even more interesting insight into Bach's achievements as a musician and composer.

La maison de Bach se dresse au Frauenplan au centre-ville. Elle rappelle le célèbre Jean-Sébastien Bach qui naquit à Eisenach le 21 mars 1685, huitième enfant du musicien Bach. Il grandit dans cette maison jusqu'à l'âge de dix ans. Depuis mai 2007, aux surfaces d'exposition dédiées à la vie de Bach a été ajouté un nouvel édifice primé qui agrandit encore le tour d'horizon captivant de l'œuvre du grand musicien et compositeur.

Musikalisch war die ganze Familie Bach, doch nur dem begnadetsten unter ihnen, Johann Sebastian, wurde ein ganzes Museum gewidmet. Aus der anfänglichen Sammlung der Bach-Instrumente wurde eine umfangreiche Ausstellung mit über 400 Instrumenten aus mehreren Epochen. Einige Räume des Museums sind mit original thüringischen Möbeln aus der Zeit Bachs ausgestattet. Umfangreich ist auch die Sammlung von Bildern und Grafiken aus jener Zeit. Das Archiv des Bachhauses birgt ganz besondere Schätze, wie Handschriften, Briefe oder die erste Bach-Biografie.

All of the Bach family were musically talented, but only the most exceptionally gifted of them, Johann Sebastian, has had a whole museum dedicated to him. At the core of the museum's collection is an extensive collection of over 400 musical instruments from various epochs. Some museum rooms contain original Thuringian furnishings from the age of Bach. There is also a large collection of pictures and prints from this time. The archives contain some notable treasures, including original manuscripts, letters and the very first biography of the great composer.

Tous les membres de la famille Bach étaient musicaux, mais seul le plus talentueux d'entre eux, Jean-Sébastien Bach, bénéficie d'un musée qui lui est entièrement consacré. Une petite collection de quelques instruments de Bach s'est aujourd'hui élargie en une exposition présentant plus de 400 instruments de musique de diverses époques. Quelques salles du musée sont aménagées avec des meubles de Thuringe authentiques, fabriqués à l'époque de Bach. Les archives du musée renferment des trésors tels que des écrits de Bach et sa première biographie.

△ Musikzimmer   ▽ Schlafzimmer   Gartenhaus ▷

„Sommergewinn" – Fest in Eisenach

Der Sommergewinn, Thüringens größtes Frühlingsfest, wird jedes Jahr am Samstag drei Wochen vor Ostern mit einem bunten Umzug begangen. Schon seit über 100 Jahren bewegt sich der Festzug aus diesem Anlass durch die Stadt. In einem öffentlichen Rededuell auf dem Marktplatz "besiegt" Frau Sunna, die in prächtigen Gewändern dargestellt ist, den Winter, der symbolisch als Strohpuppe anschließend verbrannt wird. Drei Tage lang herrscht in Eisenach ausgelassene Festtagsstimmung.

Sommergewinn Festival, Eisenach

The „Sommergewinn" festival, the largest springtime fair in Thuringia, is celebrated every year on the third Saturday before Easter with a colourful pageant. For over one hundred years, this day has been the occasion of a festive parade through the town. In a verbal sparring match in the market square, Frau Sunna, dressed in splendid garments, publicly defeats winter in the form of a straw figure, which is subsequently burned. For three days Eisenach celebrates "Sommergewinn" in high spirits and holiday mood.

Fête du printemps à Eisenach

Le « Sommergewinnfest », plus grande fête annuelle du printemps de Thuringe, commence toujours le troisiémw samedi avant Pâques, par un cortège folklorique. Depuis plus de cent ans, ce cortège coloré parcourt les rues d'Eisenach. Dans un duel de paroles qui se tient sur la place du marché, la « mère Sunna », parée de ses plus beaux atours, remporte la victoire sur l'hiver, représenté symboliquement par une poupée de paille qui sera ensuite brûlée. Toute la ville est en liesse durant les trois jours que dure la fête.

Vor wenigen Jahren noch als Hanjörgfest gefeiert, lädt der Eisenacher Gewerbeverein nun jährlich im Mai zu einer neuen Veranstaltung unter dem Motto „Eisenach macht mobil" ein. Ein ganzes Wochenende präsentiert sich die gesamte Stadt Eisenach von ihrer besten Seite und bietet ein bunt gemischtes Programm für Groß und Klein. Für die musikalische Unterstützung sorgen zahlreiche Musikbands auf der eigens dafür aufgebauten Bühne und auf den Straßen Eisenachs. Für das leibliche Wohl mit Thüringer Spezialitäten wird ebenfalls bestens gesorgt.

A few years ago it was known as the Hanjörgfest, but now the Eisenach Trade Association invites visitors to a thoroughly transformed annual festival in May that has been rechristened "Eisenach macht mobil" and whose theme is mobility. For a whole weekend Eisenach shows itself to full advantage, offering a colourful programme to suit young and old. Numerous bands provide musical accompaniment in the streets and also on an especially constructed stage. There are ample refreshments too, with local Thuringia specialities catering for all tastes.

Tous les ans, en mai, l'association des commerçants d'Eisenach invitent à une manifestation sous la devise « Eisenach en marche », qui a remplacé la fête Junker Jörg, célébrée il y a encore peu d'années. Pendant tout un week-end, Eisenach se présente sous son meilleur jour et offre un programme très diversifié pour petits et grands. Sur des podiums ou dans les rues, de nombreux groupes musicaux de tous genres divertissent le public. Un peu partout, dans des stands de rue ou dans les brasseries, on peut déguster les spécialités de la Thuringe.

Jährlich im August finden in der Altstadt von Eisenach die mehrtägigen, historischen Luther-Festspiele statt. Aufwändige mittelalterlich gestaltete Markt- und Gauklerszenen bringen dem Besucher die Geschichte um den Reformator Luther näher. Gleichzeitig fühlt man sich zwischen den Ablasshändlern, Wahrsagern, Narren, Rittern und Mönchen in eine einzigartige mittelalterliche Welt versetzt. Höhepunkt der Festlichkeiten ist ein großer Historien-Umzug am Sonntag, der sich durch eine große Freilichtinszenierung um die Kreuzkirche fortsetzt.

Every year for several days in August the historic Martin Luther pageant is held in the Old Town of Eisenach. Here visitors can learn more about the life and times of the religious reformer against an imaginatively organised backdrop of medieval markets and scenes of street entertainers. Surrounded by sellers of indulgences, fortune tellers, fools, knights and monks, you feel yourself transported to a bygone world. On Sunday, the festivities culminate in a great historical parade with an ensuing open-air theatre production around the Kreuzkirche.

Le festival de Luther, qui s'étend sur plusieurs jours, se déroule dans la partie historique (Altstadt) d'Eisenach. Des scènes de marché médiévales et des spectacles de bateleurs transportent le public à l'époque du réformateur Luther. Entre vendeurs de lettres d'indulgence, cartomanciennes, fous, moines et chevaliers, on croit vraiment se retrouver au Moyen-Âge. Le point d'orgue du festival est un grand cortège historique le dimanche qui s'achève dans un superbe spectacle de théâtre en plein air autour de l'église Kreuzkirche.

Die Villa liegt am Fuße der Wartburg im Helltal und ist im Neorenaissance-Stil erbaut. Hier verbrachte der niederdeutsche Dichter Dr. Fritz Reuter (1810–1874), der die bekannten Werke „Läuschen un Riemels" oder auch „Hanne Nüte un de lütte Pudel" verfasste, seine letzten Lebensjahre. Die angeschlossene Richard-Wagner-Ausstellung umfasst rund 6000 Bände sowie über 200 Briefe und Handschriften. Es ist zweifellos die wichtigste und umfangreichste Sammlung über Leben und Werk Richard Wagners.

This villa, which stands in the Helltal at the foot of the Wartburg, was built in Neo-Renaissance style. It was here that the poet Fritz Reuter (1810–1874), the author of well-known works in Low German dialect such as "Läuschen un Riemels" and "Hanne Nüte un de lütte Pudel", spent his last years. Immediately adjacent is a Richard Wagner exhibition with a collection of about 6000 books and about 200 letters and manuscripts. This is without doubt the most important and extensive collection devoted to the life and work of Wagner.

Bâtie en style néo-Renaissance, la villa se dresse au pied de la Wartburg dans la vallée de l'Helltal. C'est ici que le poète Fritz Reuter (1810–1874) écrivit ses œuvres majeures en bas-allemand et vécut jusqu'à sa mort. La villa abrite également le musée Richard-Wagner qui compte quelque 6000 ouvrages et plus de 200 lettres et écrits manuscrits. Cette vaste collection est sans aucun doute la plus importante en Allemagne sur la vie et l'œuvre du célèbre compositeur.

CREUZBURG, Burganlage

Die romanische Creuzburg hoch über der gleichnamigen Kleinstadt wirkt durch ihre wuchtigen Bauten und Mauern wie eine Festung. Dort schenkte die Heilige Elisabeth 1222 ihrem einzigen Sohn Hermann II. das Leben. Auf der Burg erwarten den Besucher ein Museum mit mittelalterlichem Gerät, eine Töpferwerkstatt und ein gruseliger Folterkeller. Seit 2008 hat man zudem die Möglichkeit, im neu eröffneten Hotel-Restaurant das mittelalterliche Flair auf sich wirken zu lassen. Im Tal fließt die Werra, überspannt von einer siebenbogigen Steinbrücke, erbaut 1223.

Creuzburg, castle

With its massive edifices and defences, the Romanesque Creuzburg, set high above the small town of the same name, looks more like a fortress than a castle. It was here that in 1222 Saint Elisabeth gave birth to her only son, Hermann II. In the castle itself, a museum with medieval implements, a pottery workshop and a gruesome Chamber of Horrors await visitors. Since 2008 guests have also been able to enjoy the medieval flair of the newly opened hotel restaurant. In the valley below the River Werra is spanned by a seven-arched stone bridge built in 1223.

Creuzburg, château

Surplombant la petite ville éponyme, Creuzburg ressemble à une forteresse avec ses murailles et ses imposants bâtiments construits à l'époque romane. C'est ici que sainte Elisabeth donna naissance à son fils unique Hermann II en 1222. Le château abrite un musée médiéval, un atelier de poterie et une chambre des tortures qui donnera des frissons aux visiteurs. Ouvert en 2008, un hôtel-restaurant accueille les convives dans une ambiance médiévale. Dehors, la Werra coule au fond de la vallée, sous un pont de pierre à sept arches datant de 1223.

Die schattendunkle Schlucht mit ihren überhängenden Felswänden ist 2,5 Kilometer lang und teilweise nur 70 Zentimeter breit. Der Sage nach hat dort ein böser Drache gehaust, der vom Hl. Georg besiegt wurde, dessen Denkmal über dem Marktbrunnen von Eisenach thront. An den feuchten Felsenwänden der Schlucht wuchern Moose, Farne und Flechten. Die Schlucht wurde ab 1832 begehbar gemacht, indem man einen Bohlenweg über den tosenden Bach baute, der als Wanderweg hinter der Drachenschlucht hinauf zum Aussichtspunkt „Hohe Sonne" am Rennsteig führt.

This dark, shadowy ravine with its overhanging crags is 2,5 kilometre long and in parts only seventy centimetres wide. According to legend, this was the home of an evil dragon vanquished by St George, and a monument to the saint still crowns the market fountain in Eisenach. Moss, ferns and lichens proliferate on the dank walls of the gorge. There was no footpath here untill 1832, when a boardwalk was constructed over the turbulent stream. It still serves as a hiking trail leading from the end of the ravine to the "Hohe Sonne" viewpoint on the Rennsteig.

La gorge sombre, aux hautes parois rocheuses, est longue 2,5 kilomètre et large d'à peine 70 centimètres à certains endroits. Selon une légende, saint George vainquit un dragon malfaisant qui vivait dans la Drachenschlucht, d'où son nom. Une statue du saint trône sur la fontaine de la place du marché d'Eisenach. Mousses, lichens et bruyères poussent dans l'étroite gorge rendue accessible en 1832 après la construction d'un chemin de madriers le long du torrent. La gorge passée, le chemin grimpe jusqu'au point de vue « Hohe Sonne » au Rennsteig.

Romantisch verklärt sind die Geschichten um die Hörselberge. Es handelt sich um einen zerklüfteten Kalkfelskamm. Seltene Tier- und Pflanzenarten, wie Orchideen und Wacholderheide, sowie Fledermaus- und Schmetterlingsarten sind in den Kalkmagerrasen-Biotopen heimisch. Sagen und Märchen wurden um die Kalkwände gewoben: Die Venushöhle inspirierte Richard Wagner zu seiner Tannhäuser-Oper, hier soll der Sage nach Frau Holle gelebt haben. Im gemütlichen Berggasthaus „Großer Hörselberg" erwarten den Wanderer Thüringer Spezialitäten.

The Hörselberge region is a high-lying landscape of jagged limestone ridges. Here, amidst the windswept grassland biotopes, unusual fauna and flora can be found such as rare species of bats and butterflies and rare plants like orchids and heath juniper. The tales woven around this craggy scenery are imbued with romance and mystery. In the Venus cave Wagner found inspiration for his eponymous opera, and according to legend Mother Hulda lived in this Cave. Hikers can sample local specialities in the "Grosser Hörselberg" tavern.

Romantiques à souhait sont les légendes qui entourent le Hörselberg, une crête déchiquetée de roche calcaire. Des biotopes dans les zones fertiles de l'endroit abritent une faune et une flore rares comprenant orchidées et genévriers, chauves-souris et papillons de diverses variétés. Le paysage calcaire a inspiré maints contes et légendes. Richard Wagner a immortalisé la grotte de Venus dans son célèbres opéra. Personnage de conte, la « mère Holle » aurait vécu dans la grotte de. Plus prosaïque, l'auberge « Großer Hörselberg » offre sa cuisine régionale aux randonneurs.

Im 9. Jh. wurde bereits ein Ort Salza erwähnt. Kaiser Otto IV. verlieh 1212 dem damaligen Dorf Stadtrechte, worauf um 1300 eine Stadtbefestigung angelegt wurde. Sie ist heute noch mit vier Türmen rund um die historische Altstadt zu sehen. Sehenswert ist die Marktkirche St. Bonifacius. Sie wurde aus Travertin, einem Süßwasserkalk erbaut (13.-16. Jh.) und ist die höchste ihrer Art in Deutschland. Als Kurort bietet Bad Langensalza natürlich auch Parks an. Ihre große Vielzahl und die unterschiedlichsten Themen sind ein besonderes Highlight der Stadt.

The existence of a place named Salza was first noted in the 9th century. In 1212 Emperor Otto IV granted a charter to the settlement, and around 1300 a defensive wall was erected. The town wall with its four gateways still encircles the historic Old Town. The church of St Boniface, dating from the 13th-16th centuries, is well worth a visit. Built of travertine, a form of limestone deposited by thermal springs, it is the highest of its kind in Germany. Bad Langensalza is a spa, and its numerous parks, each with its own theme, are a special visitor attraction.

Une localité nommée Salza est déjà mentionnée au IXe siècle. En 1212, l'empereur Otton IV accorda ses droits de ville au bourg qui s'entoura d'une enceinte fortifiée vers 1300. Aujourd'hui, quatre tours conservées se dressent autour du quartier historique de la ville (Altstadt). La superbe église Saint-Boniface fut construite en travertin, une roche calcaire d'eau douce, entre les XIIIe et XVIe siècles. Elle est la plus haute de ce type en Allemagne. Bad Langensalza est également une ville thermale réputée pour ses sources sulfurées et ses nombreux parcs aménagés.

BAD LANGENSALZA

Das bezaubernde Friederikenschlösschen wurde um 1750 im Auftrag der Herzogin-Witwe Friederike von Sachsen-Weißenfels im Rokokostil erbaut. In der Nähe liegt der wunderschöne Rosengarten mit der Orangerie, den Brunnenhäuschen sowie dem Kavaliershäuschen, wo man auf einer herrlichen Kaffeeterrasse die Umgebung genießen kann. Ein besonderes Erlebnis stellt der Besuch des neu errichteten Japanischen Gartens dar. Der „Garten der Glückseligkeit" bildet mit seinen kunstvoll gestalteten Wasserlandschaften eine Oase der Ruhe und Harmonie.

BAD LANGENSALZA

The enchanting Friederikenschlösschen was built in Rococo style around 1750 by order of the widowed Duchess Friederike von Sachsen-Weissenfels. Nearby there is a magnificent rose garden with an orangerie, a little well house and the so-called cavalier's cottage, where you can relax and admire your surroundings from the attractive terrace café. The Japanese garden is a new feature that offers visitors an experience of a special kind. Here the Garden of Bliss, with its artistically designed waterscapes, creates an oasis of peace and harmony.

BAD LANGENSALZA

Friederike von Sachsen-Weißenfels, veuve du grand-duc, fit construire le charmant château de style rococo vers 1750. Tout près, on peut visiter la magnifique roseraie avec l'Orangerie et le pavillon de la Fontaine, puis prendre un café à la terrasse du pavillon du Cavalier en savourant le paysage. Récemment aménagé, le jardin japonais offre une expérience unique. Avec ses créations artistiques, mariant eau et végétation, le « Jardin de la Béatitude » est une véritable oasis de paix et d'harmonie.

Thüringer Waldbahn

Ein besonderes Erlebnis ist die Fahrt mit der Thüringer Waldbahn, die auf einer der schönsten Überlandbahnstrecken Deutschlands verkehrt. Die 65 km/h schnelle, elektrisch betriebene Bahn mit einem Meter Spurbreite verbindet seit 1929 die Orte Gotha, Friedrichroda und Tabarz. Sie macht heute noch mehr als 20 planmäßige Fahrten täglich, wobei auch Sonderfahrten auf Anfrage angeboten werden. Die Endhaltestelle Tabarz erreicht man nach 21,7 Kilometern in circa einer Stunde.

The Thuringia Forest Line

Visitors can enjoy a very special experience on the Thuringia Forest Line, which is one of the most attractive long-distance tram routes in Germany. Travelling at 65 km an hour on one-metre-wide tracks, the trams have provided a speedy connection between Gotha, Friedrichroda and Tabarz since 1929. Today they make over twenty scheduled journeys every day, whereby individual excursions are also available on request. It takes about an hour to cover the 21.7 kilometres to the terminus at Tabarz.

Thüringer Waldbahn /train

Aucun visiteur ne devrait manquer une excursion avec le Thüringer Waldbahn, ce train électrique qui parcourt un des plus beaux trajets ferroviaires d'Allemagne à une vitesse de 65 km/h, sur une voie large d'un mètre. Depuis 1929, il relie les localités Gotha, Friedrichroda et Tabarz, et fait aujourd'hui encore plus de 20 allers retours réguliers par jour. La ligne propose également des sorties spéciales à la demande. On atteint le terminus à Tabarz en une heure environ, après un parcours de 21,7 kilomètres.

Der Wohlstand Gothas war gesichert, wenn im Mai und Juli das Färberwaid (deutsches Indigo) reichhaltige Blütenstände hervorbrachte, denn dieses Färbemittel war über einen langen Zeitraum Gothas Haupteinnahmequelle. Dieser Wohlstand zog auch andere Handwerker in den Ort, so dass die Stadt sich prächtig entwickeln konnte. Dies ist heute noch an den schönen Bürgerhäusern und dem Renaissance-Rathaus von 1567-1577 zu erkennen. Die erste Gothaer Feuerversicherungsbank wurde hier 1820 gegründet, welche bis heute ein Begriff in der Versicherungswelt ist.

The prosperity of Gotha once depended on a prolific harvest of local dyer's woad flowers in summer. From this plant, also known as German indigo, came the deep blue dye that for a long time was Gotha's main source of income. This flourishing industry soon attracted other craftsmen, and Gotha began a new phase of expansion. The results of this new-found wealth are still evident in the fine patricians' houses and Renaissance Town Hall of 1567-77. The first Gotha Fire Insurance Bank was founded here in 1820, and Gotha remains a leading name in the insurance world.

Les ressources de Gotha étaient assurées lorsque de mai à juillet, on obtenait de riches récoltes de pastels. Pendant longtemps, le colorant bleu tiré des végétaux fut la principale source de revenus de la ville. Attirés par cette prospérité, de nombreux artisans vinrent s'installer à Gotha qui connut alors un bel essor. De superbes maisons patriciennes et l'hôtel de ville Renaissance bâti entre 1567 et 1577 témoignent de cette époque. Gotha est un nom très connu dans le monde des assurances : la première compagnie d'assurance contre le feu y fut fondée en 1820.

„Nicht reichlich Einnahmen, sondern sparsames Ausgeben macht reich." Nach dieser Devise regierte Herzog Ernst I. (genannt der Fromme), der das Schloss Friedenstein von 1643 bis 1654 erbauen ließ – die größte frühbarocke Schlossanlage Deutschlands. Es handelt sich um eine Dreiflügelanlage mit zwei Ecktürmen, die einstmals über 365 Räume verfügt haben soll. Im Westeckturm befindet sich das berühmte historische Ekhof-Theater, vor dessen imposanter Kulisse heute noch historische Aufführungen mit originaler Bühnentechnik in Szene gesetzt werden.

"Wealth does not spring not from large income but from small outlay" – that was the ruling principle of Duke Ernst I of Saxe-Weimar, named Ernst the Pious. Yet it was Duke Ernst who, between 1643 and 1654, built the imposing Schloss Friedenstein. It is a three winged building with two corner towers. It is said that there were once more than 365 rooms here in all. The west corner tower houses the famous old Ekhof Theatre, and historic productions are still staged in these imposing surroundings, with the use of original theatre machinery.

«On devient riche, non pas en accumulant les profits, mais en dépensant avec parcimonie.» C'est selon cette devise que régna le duc Ernst Ier (dit le Pieux), appartenant à la lignée Saxe-Weimar. Il fit construire le château de Friedenstein entre 1643 et 1654. Il s'agit d'un ensemble à trois ailes, pourvu de deux tours d'angle, qui aurait compris autrefois plus de 365 pièces. La tour d'angle orientale abrite le célèbre théâtre historique Ekhof ; aujourd'hui encore, les techniques de scènes d'origine sont utilisées pour les représentations historiques jouées dans son décor imposant.

Zu den kostbaren Sammlungen des Schlosses gehören das „Gothaer Liebespaar" (Bild u. r.) vom Meister des Amsterdamer Kabinetts (um 1484) und die Kunstkammerbestände. Die um 1747 von Gottfried Heinrich Krohne geschaffene Orangerie wird derzeit restauriert und der Bestand an exotischen Pflanzen wieder aufgebaut. Alljährlich Ende August wird auf Schloss Friedenstein ein pompöses Barockfest gefeiert, in dem seine Hochfürstliche Durchlaucht Herzog Friedrich III. mit seinem Hofstaat die Lustbarkeiten einer fürstlichen Residenz darstellt.

In the priceless collections of the palace masterpieces such as the „Gotha Lovers" (below right) by Master of the Amsterdam Kabinett, dating from about 1484, and the pieces of the chamber of arts can be found. The Orangerie, built around 1747 by Gottfried Heinrich Krohne, is undergoing restoration and the stock of exotic plants will be rebuilt. Every year at the end of August, a lavish Baroque Festival is celebrated in Schloss Friedenstein, with scenes of his Serene Highness Duke Friedrich III and his courtiers indulging in aristocratic revelries.

Les « Amants de Gotha » (ill.en bas à droite), peint par le maître du Cabinet d'Amsterdam, des oeuvres de Cranach et le Cabinet des curiosités font partie des précieuses collections du château. L'Orangerie, bâtie vers 1747 par Gottfried Krohne est presque entièrement restaurée, et son stock de plantes exotiques a été reconstitué. Chaque année en août, la célèbre fête baroque du château de Friedenstein fait revivre la vie somptueuse à la cour de son altesse royale le duc Frédéric III sous la devise ducale : « Vive la joie! »

△ Barockfest im Schlosshof   ▽ Orangerie

△ Barockgesellschaft mit dem Kurfürsten   ▽ Gemälde "Liebespaar"

Mittelpunkt zahlreicher höfischer Prunkfeste war der reich geschmuckte barocke Festsaal des Schlosses, der 1684–1686 von dem italienischen Stuckateur Giovanni Caroveri ausgestattet wurde. Von ihm stammt die prachtvolle Decke aus vollplastischem Stuck, die reich mit Figuren, Frucht- und Blumengirlanden geschmückt ist. Vollendet wurde der Saal von den beiden kurbrandenburgischen Brüdern Samuel und Johann Peter Rust im Jahr 1696. Heute dient der Festsaal unter anderem als Ambiente für klangvolle Kammerkonzerte und interessante Ausstellungen.

The centre of the numerous grandiose court festivals was the palace's sumptuously decorated Baroque ballroom, whose design was carried out from 1684 to 1686 by the Italian stucco master Giovanni Caroveri. His work includes the superb ceiling of sculptured plasterwork, richly embellished with figures and garlands of fruit and flowers. The stucco was completed in 1696 by two brothers from Brandenburg, Samuel and Johann Peter Rust. Today the ballroom provides a setting for various events such as chamber concerts and interesting exhibitions.

Les fêtes opulentes se déroulaient pour la plupart dans la salle de réception baroque du château. De 1684 à 1686, le stucateur italien Giovanni Caroveri réalisa les riches décorations de la salle, notamment celles du plafond somptueux orné de figures et de guirlandes de fruits et de fleurs. L'aménagement de la salle fut achevé en 1696 par les deux frères Samuel et Johan Peter Rust, originaires du Brandebourg. Aujourd'hui, cette magnifique salle des fêtes accueille des concerts de musique de chambre et des expositions choisies.

„DIE DREI GLEICHEN" in der Nähe von Arnstadt   ▽ MÜHLBURG und BURG GLEICHEN   △ MÜHLBURG

Mitten im Thüringer Burgenland finden wir die Veste Wachsenburg, die Ruine Mühlburg und die Burgruine Gleichen, welche zu dem Begriff „Die drei Gleichen" geworden sind. Laut Überlieferung sollen sie gleichzeitig nach einem Blitzeinschlag 1231 wie drei gleiche Fackeln gebrannt haben. Auf der Veste Wachsenburg wird ein umfangreiches Angebot für Übernachtungsgäste und Hochzeiter geboten. Der Gaumen kommt bei dem kulinarischen Angebot zu Hochgenuss. Das Burgmuseum bietet einen Einblick in das Leben und Treiben auf den Burgen im Mittelalter.

At the centre of the undulating Thuringian heartland stand three castles on three hills: the fortress of Wachsenburg, and the two ruins of Mühlburg and Gleichen, the last of which has given its name to the trio now known as Die Drei Gleichen (The Three Equals). According to legend, they burst into flame simultaneously after lightning struck them in 1231. Wachsenburg Castle offers plentiful facilities and a delicious cuisine for hotel guests and wedding parties. The museum gives visitors an insight into daily life in the castles in the Middle Ages.

Au coeur du Thüringer Burgenland se dressent la forteresse de Wachsenburg et les ruines de la Mühlburg et du Gleichen, appelés les « Trois Gleichen » (Trois Pareils) dans la langue populaire. Selon la légende, frappés par la foudre en 1231, ils auraient tous les trois brûlé comme une torche en même temps, d'où le nom. La Veste Wachsenburg est aujourd'hui un hôtel confortable très apprécié pour les fêtes de mariage et pour son restaurant gastronomique. L'hôtel abrite aussi un musée, le Burgmuseum, qui donne un aperçu captivant de la vie dans les châteaux médiévaux.

ARNSTADT, Bachkirche

Am Rande des Thüringer Waldes steht das idyllische Arnstadt mit einer zauberhaften Altstadt. Die älteste Stadt Thüringens hat durch die wechselvolle Vergangenheit nichts von ihrem Charme eingebüßt. Ein großer Teil der Familie Bach wurde hier geboren und Johann Sebastian Bach nahm hier in der Zeit von 1703 bis 1707 als junger Organist eine Stelle an. Aus diesem Grund nennt sich die Stadt auch „Bachstadt"; man feiert jährlich das Bachfestival. Berühmt ist die Puppenausstellung „Mon plaisir" der Fürstin Elisabeth Albertine von Schwarzburg-Sondershausen aus dem 18. Jh.

ARNSTADT, Bach´s church

On the borders of the Thuringian Forest you will find the idyllic town of Arnstadt, with its enchanting Old Town. Despite its chequered history, Arnstadt, the oldest town in Thuringia, has preserved much of its historical charm. Many members of the Bach family came from Arnstadt, and as a young man Johann Sebastian Bach held the post of organist here from 1703 to 1707. Arnstadt is often called Bach's town, and a Bach festival is held every year. The famous Mon Plaisir doll collection of Duchess Elisabeth Albertine von Schwarzburg-Sondershausen dates from the 18th century.

ARNSTADT, église de Bach

Dotée d'une Vieille-Ville magnifique, Arnstadt se dresse à l'orée du Thüringer Wald. La plus ancienne localité de Thuringe n'a rien perdu de son charme malgré un passé très mouvementé. Arnstadt est la ville natale d'une grande partie de la famille de Jean-Sébastien Bach, et l'illustre compositeur y fut organiste dans sa jeunesse, de 1703 à 1707. Chaque année, la « ville de Bach » célèbre le festival Bach. À voir absolument : la célèbre collection de poupées « Mon plaisir », réalisée au XVIIIe siècle par la princesse Élisabeth Albertine de Schwarzburg-Sondershausen.

Eines der schönsten Barockschlösser Thüringens ist das Schloss Molsdorf. Es liegt in der Nähe von Erfurt. Hier lebte der Kunstmäzen Gustav Adolf Reichsgraf von Gotter, der 1733 das schlichte Gebäude erwarb und von dem Baumeister G. H. Krohne zu einem bemerkenswerten Schloss im Barockstil umbauen ließ. An die einstmals prächtige barocke Gartenanlage erinnern die Lindenallee und ein schmiedeeisernes Tor. Als beliebtes Ausflugsziel lädt das Schloss zu Konzerten im stilvollen Festsaal ein und für das leibliche Wohl sorgt ein gemütliches Cafe-Restaurant.

Schloss Molsdorf, near Erfurt, is one of Thuringia's finest Baroque palaces. It was once the home of Gustav Adolf Reichsgraf von Gotter, a patron of the arts, who purchased what was a simple building in 1733 and commissioned the architect G. H. Krohne to convert it into a splendid Baroque palace. All that remains of the once beautiful Baroque garden is an avenue of lime trees and a wrought-iron gateway. Today the palace is a popular place for outings. Concerts are held in the stylish ballroom and a cosy café-restaurant provides meals and refreshments.

Situé près d'Erfurt, Molsdorf est un des plus beaux châteaux baroques de Thuringe. En 1733, le comte d'Empire Gustav Adolf von Gotter, mécène des arts, acquit un modeste édifice qu'il fit transformer en un superbe château baroque par l'architecte G. H. Krohne. L'allée de tilleuls et le portail de fer forgé rappellent l'ancienne somptuosité des jardins qui étaient également baroques. But d'excursion très apprécié, le château invite à des concerts dans sa jolie salle des fêtes et à goûter les spécialités de la région dans son café-restaurant convivial.

Die älteste bekannte Erwähnung als „Erphesfurt" stammt von 742 und geht auf Bischof Bonifatius zurück, der den Domhügel zum Bischofssitz wählte. Die günstige Wahl des Ortes für die Siedlung begründete letztlich den Reichtum und das rasante Wachstum Erfurts, denn die Faktoren des Glücks waren die zentrale Lage und der fruchtbare Ackerboden. In Erfurt lässt es sich gut leben – das erfuhren neben Martin Luther auch Johann Wolfgang von Goethe, Friedrich Schiller und Adam Ries. Urige Kneipen und Volksfeste bieten stets Geselligkeit und Frohsinn.

The earliest known reference to "Erphesfurt" originated in 742 and dates back to Bishop Boniface, who elected the cathedral hill as a bishop's seat. Life is good in Erfurt. The auspicious choice of location for the settlement ultimately justified the prosperity and rapid growth of Erfurt as its central position and fertile farmland were fortuitous factors. It was not just Martin Luther who learnt this but also Johann Wolfgang von Goethe, Friedrich Schiller and Adam Ries. Quaint pubs and festivals offer fellowship and cheer.

Le plus ancien document connu évoquant « Erphesfurt » date de 742 et remonte à l'évêque Bonifatius qui choisit la butte dite Domhügel pour y élever son église. La situation favorable à la fondation d'une localité determina la prospérité et l'essor rapide d'Erfurt, qui avait la chance d'occuper une position centrale dans une contrée de terres fertiles. Il fait bon vivre à Erfurt. Non seulement Martin Luther le constata, mais aussi Johann Wolfgang von Goethe, Friedrich Schiller et le grand mathématicien Adam Ries.

Die Baugeschichte des Erfurter Doms St. Marien reicht bis ins 8. Jahrhundert zurück. Erst 1465 wurde das Bauwerk fertig gestellt. Im mittleren Domturm hängt die Königin der Glocken „Gloriosa", die 1479 gegossen wurde. Um diese Glocke ranken sich Mythen und Sagen. So soll der Teufel seine Hand im Spiel gehabt haben, weshalb sie mehrfach zerstört und neu gegossen werden musste. Der inzwischen sanierte barocke Hochaltar entstand zwischen 1697 und 1707.

The architectural history of the Cathedral of St Mary in Erfurt dates back as far as the 8th century, though the edifice was not completed until 1465. In the belfry of the central tower hangs Gloriosa, the queen of the cathedral bells, first cast in 1479. Many legends surround this great bell, which was destroyed and newly cast many times, and the devil is said to have played a part in its history. The Baroque high altar, constructed between 1697 and 1707, has recently been restored.

L'histoire de la construction de la cathédrale Notre-Dame d'Erfurt remonte au VIIIe siècle. L'édifice ne fut achevé qu'en 1465. La reine des cloches « Gloriosa », fondue en 1479, est suspendue dans la tour centrale de la cathédrale. De nombreux mythes et légendes entourent cette cloche qui fut détruite et refondue plusieurs fois, à cause de la malfaisance du diable, selon la croyance populaire. Aujourd'hui rénové, le maître-autel baroque fut construit entre 1697 et 1707.

ERFURTER DOM, Chor mit Altar

Als einer der schönsten und größten Altäre Thüringens gilt der monumentale 16,5 Meter hohe barocke Hochalter, der sich im Hohen Chor des Erfurter Doms einfügt. Im Zuge der Gegenreformation wurde er errichtet, vermutlich um den Triumph des Mainzer Erzbischofs über das evangelische Erfurt darzustellen. Bis heute lässt sich nicht klären, wer das eindrucksvolle Werk erschaffen hat. Die im Altar eingefassten Gemälde können je nach Kirchenfest ausgewechselt werden. Zwei der Altarbilder stammen von dem Erfurter Maler Jakob Samuel Beck (1715-1778).

ERFURT Cathedral, chancel and Altar

The monumental 16.5-metre-high Baroque High Altar in the chancel of Erfurt cathedral is regarded as one of the largest and most beautiful altars in Thuringia. It was erected during the course of the Counter Reformation, supposedly to demonstrate the victory of the Archbishop of Mainz over the Protestant city of Erfurt. The creator of this impressive work has not been identified to this day. The paintings of the altarpiece can be changed around in accordance with the liturgical year. Two are the work of the Erfurt painter Jakob Samuel Beck (1715-78).

ERFURT, Cathédrale, chœur et autel

D'une hauteur de 16,5 m, le maître-autel baroque monumental qui se dresse devant le choeur de la cathédrale d'Erfurt, est un des plus beaux et des plus imposants de Thuringe. Il fut érigé à l'époque de la contre-réforme, sans doute pour souligner le triomphe de l'archevêque de Mayence sur Erfurt qui était protestante. On ignore qui a réalisé cet ouvrage remarquable dont on peut changer les peintures selon les fêtes religieuses. Deux des tableaux d'autel sont dus à Jakob Samuel Beck (1715-1778), artiste d'Erfurt.

Das „Haus zum Breiten Herd", eines der schönsten Bürgerhäuser der Stadt, wurde 1584 mit einer reich verzierten Renaissancefassade im Auftrag des Stadtvogtes und Ratsmeisters Heinrich von Denstedt errichtet. Inspiriert durch Arbeiten des Malers Frans Floris sind an der Fassade im ersten Stock die fünf Sinne – Sehen, Hören, Riechen, Schmecken, Fühlen – plastisch dargestellt. Der farbenfrohe Fries setzt sich im benachbarten Gildehaus „Zum Stötzel" mit der Darstellung der vier Haupttugenden Gerechtigkeit, Klugheit, Mut und Mäßigung fort.

The "Haus zum Breiten Herd", with its richly ornamented Renaissance facade, is one of the finest mansions in the town. It was built in 1584, on the orders of Heinrich von Denstedt, governor and chief councillor of Erfurt. The facade on the first floor shows a vivid depiction of the five senses – sight, hearing, smell, taste and touch – inspired by the work of the painter Frans Floris. A continuation of the colourful frieze, on the adjacent house "Zum Stötzel", illustrates the four prime virtues of justice, wisdom, courage and moderation.

« Haus zum Breiten Herd » (maison du grand fourneau), une des plus belles demeures patriciennes de la ville, fut érigée avec une façade Renaissance en 1584 par le bailli Heinrich von Denstedt. Inspiré par les travaux du peintre Frans Floris, il fit représenter les cinq sens – voir, entendre, sentir, goûter et toucher – en reliefs au premier niveau de l'édifice. Les frises colorées se poursuivent sur la maison des Guildes voisine appelée « Zum Stötzel » ; elles figurent les quatre vertus principales : rectitude, discernement, courage et modestie.

Am Fischmarkt in Erfurt steht das historische Rathaus, dessen Ursprünge bis ins 11. Jahrhundert zurückreichen. Sein heutiges Aussehen erhielt es im Jahr 1869 im Stil der Neugotik. Der im Rathaus befindliche Festsaal wurde durch den Historienmaler Johann Peter Theodor Janssen gestaltet. Die von ihm erschaffenen Bilder zeigen die Erfurter Geschichte. Ebenfalls reich bemalt sind die Treppenhäuser, die für jedermann zugänglich sind und Szenen aus der Faust- und Tannhäusersage darstellen. Diese Werke stammen von Eduard Kämpffer (1889/96).

On the Fischmarkt stands Erfurt's historic Town Hall, whose origins date back to the 11th century. It owes its present aspect to the alterations of 1869, when it was refurbished in Neo-Gothic style. The wall paintings in the Great Hall, by the 19th century historical painter Johann Peter Theodor Janssen, depict various figures and events in Erfurt's history. There are also murals in the stairwell, which is open to the public. They illustrate scenes from the Faust and Tannhäuser legends and were painted by Eduard Kämpffer between 1889 and 1896.

L'hôtel de ville historique d'Erfurt, dont l'histoire remonte au XIe siècle, se dresse au Fischmarkt (marché aux poissons). L'édifice reçut son aspect actuel en style néogothique en 1869. Les décorations de la salle de réception de l'hôtel de ville sont dues au peintre de scènes historiques Johann Peter Theodor Janssen. Ses tableaux figurent l'histoire d'Erfurt. La cage d'escalier, également richement ornée de peintures, est accessible au public qui peut y admirer des scènes des récits de Faust et de Tannhäuser. Ces œuvres sont dues à Eduard Kämpffer (1889/96).

Eines der Wahrzeichen von Erfurt ist die Krämerbrücke, die längste durchgehende mit 32 Häusern bebaute und bewohnte Brücke Europas. Vorgängerbrücken aus Holz wurden 1325 durch eine Brücke aus Stein abgelöst, woraufhin schon zu Beginn Händler dort ihre Krambuden aufschlugen. Auf 120 Meter Länge überspannt die Brücke mit mehreren starken Sandsteinbögen beide Flussarme der Gera. Das seit 1975 stattfindende Krämerbrückenfest lädt jährlich am dritten Wochenende im Juni zu Narretei und Budenzauber in die malerische Altstadt Erfurts ein.

One of Erfurt's landmarks is the Krämerbrücke. It is the longest bridge of its kind in Europe, with timbered houses on each side in an unbroken row. All 32 are inhabited. After the first wooden bridges here were replaced by a stone bridge in 1325, traders set up their stalls along its length. The bridge is 120 metres long and its sturdy sandstone arches span both branches of the river. Since 1975 the annual Krämerbrücke festival, held on the third weekend in June, has attracted visitors with fun and festivities in Erfurt's picturesque Old Town.

Un des symboles d'Erfurt est le pont dit Krämerbrücke, le plus ancien pont habité d'Europe, avec 32 maisons. En 1325, le pont de bois antérieur était remplacé par un pont en pierre où des commerçants construisaient déjà leurs boutiques. Soutenu par plusieurs imposantes arches de grès, le pont franchit les deux bras de la rivière sur 120 mètres de longueur. Depuis 1975, le « Krämerbrückenfest » a lieu tous les ans, le troisième week-end de juin ; une joyeuse fête populaire qui remplit de liesse le pittoresque quartier historique d'Erfurt.

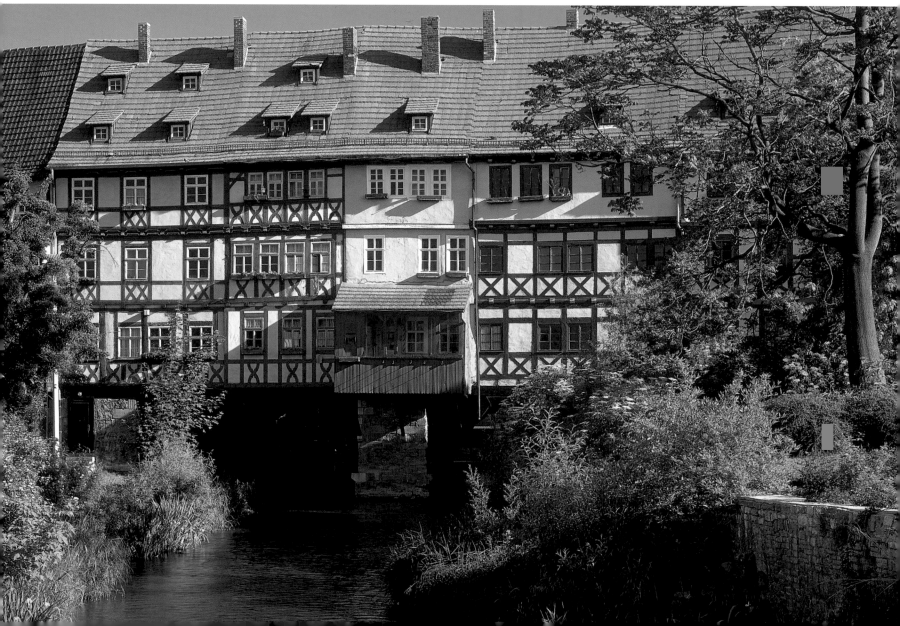

Der zentrale Punkt Erfurts ist der Anger, der erstmals 1196 urkundlich erwähnt wird. Als Waid-Metropole erlangte der Platz im 14. bis 17. Jahrhundert große Bedeutung. Heute bildet er das größte Geschäftszentrum der Stadt, umrahmt von prachtvollen Gründerzeithäusern, und lädt zum ausgiebigen Flanieren und Shoppen ein. Der Besuch einer der Blaudruckwerkstätten, die noch nach altem Verfahren aus Färberwaid (auch Deutsche Indigo-Pflanze genannt) ihre Stoffe herstellen, ist lohnend.

The Anger lies at the heart of Erfurt. The name, first recorded in 1196, originally meant common land. Later a woad market was held here, and the plant became a key source of the town's income from the 14th to 17th centuries. Today this plaza, encircled by splendid late 19th century mansions, is Erfurt's largest shopping centre, with modern malls and stores that make it an inviting area for leisure shoppers and strollers. Do not forget to visit one of Erfurt's traditional textile printing workshops, which still dye fabrics with blue woad.

Le cœur d'Erfurt est l'Anger, mentionné pour la première fois par écrit en 1196. Métropole du pastel, l'endroit acquit une grande importance entre les XIVe et XVIIe siècles. Aujourd'hui, il constitue le principal centre commercial de la ville, bordé de superbes maisons du XIXe siècle, et invite au shopping et à la flânerie. Captivante est une visite dans un des ateliers d'impressions sur tissus, encore réalisées avec le colorant bleu de la plante pastel selon les procédés anciens. Ici, le pastel est aussi nommé indigo allemand.

Der Amtssitz des Thüringer Ministerpräsidenten mit Barockfassade und einem Festsaal, der jedem Schloss gut stände, war immer ein politisches Zentrum. Als Erfurt zum Bistum Mainz gehörte, diente der Komplex als kurmainzische Statthalterei, später als preußisches Hauptquartier und nach der Schlacht von Jena und Auerstedt als französischer Gouvernementssitz. Den Fürstenkongress hielt Kaiser Napoleon hier ab. Ab 1816 gehörte Erfurt wieder zu Preußen, weshalb sich an der Fassade die amtlichen Vergleichsmaße für die „Halbe Preussische Ruthe" und den „Meter" befinden.

The official residence of the Prime Minister of Thuringia with baroque facade and banquet hall was always a political centre. When Erfurt belonged to the Mainz diocese, the complex served as a former Archbishopric of Mainz ethnarchy, later Prussian headquarters up to the battle of Jena and Auerstedt and as a French provincial seat. Emperor Napoleon reigned here during the Congress of Erfurt. From 1816 onwards Erfurt again belonged to Prussia, explaining the official comparative measurements for the "half Prussian rod" and "metre" on the facade.

Le siège à la façade baroque du ministre-président de Thuringe a toujours été un centre politique. Quand Erfurt appartenait à Mayence, l'édifice abritant une salle d'honneur somptueuse, était occupé par la lieutenance de l'electorat de Mayence. Plus tard il devint le quartier-général des Prussiens jusqu'à la bataille d'Iéna et Auersted. La chancellerie fut ensuite siège du gouvernement français de la région. Napoléon 1er y initia le Congrès des princes. Erfurt redevint prussienne en 1816 : sur la façade de l'édifice, on peut voir la mesure prussienne à côté du mètre français.

Martin Luther trat 1505 als Mönch und Lehrer in das Augustinerkloster in Erfurt ein, zu welchem auch die Augustinerkirche gehört (1290-1350).— Die Weimarer Klassiker hatten eine Weltanschauung, welche sie in dieser Literaturepoche zum Ausdruck bringen wollten. Sie waren für das Streben nach Freiheit, Brüderlichkeit und Einigkeit und verfolgten in dieser Hinsicht ein klassisches Kunstideal. Diese Lebensauffassung war sehr unpolitisch; man wollte philosophieren und nicht politisch diskutieren. Treibende Kraft waren Johann Wolfgang von Goethe sowie sein Kollege und Freund Friedrich von Schiller.

In 1505, Martin Luther entered the Augustinian monastery (monastery chapel dating 1290-1350) in Erfurt as a monk and teacher. – What is now known as Weimar Classicism arose from a new world view that found expression in the outstanding literature of the time. Its advocates were inspired by a drive towards universal liberty, equality and fraternity that also incorporated a classical, idealistic concept. Weimar Classicism was not a political but rather a philosophical movement. Its main proponents were Johann Wolfgang von Goethe and his colleague and friend Friedrich von Schiller.

En 1505, Martin Luther entra au monastère des Augustins d'Erfurt où il fit ses voeux monastiques un an plus tard. Bâtie de 1290 à 1350, l'église des Augustins faisait partie du monastère. — L'objectif des auteurs classiques de Weimar était de traduire leur conception du monde dans leur œuvre littéraire. Ils aspiraient à l'égalité, la fraternité et l'unité, suivant un courant classique et humaniste. Leur recherche était apolitique ; Les membres du groupe, conduits par Goethe et son ami Schiller, se rencontraient pour philosopher et non pas discuter politique.

Johann Gottfried von Herder

Johann Wolfgang von Goethe

Friedrich von Schiller

Christoph Martin von Wieland

Charlotte von Stein

Herzogin Anna Amalia von Sachsen

Herzog Carl August von Sachsen

Johann Peter Eckermann

Lucas Cranach d. Ä.

Franz Liszt

Johann Sebastian Bach

Clemens Wenzel Coudray

Für Weimar, 899 bereits erstmalig erwähnt, begann das „Goldene Zeitalter", als Herzogin Anna-Amalia und ihr Sohn Herzog Carl-August im 18. und 19. Jahrhundert regierten. Schon mit 19 Jahren verwitwet, hatte die Herzogin eine ganz eigene Auffassung von Sozialförderung, die von ihrem Volk nicht immer richtig verstanden wurde. Auch was die Kunst anging, war sie sehr emanzipiert für jene Zeit. Die Förderung der Musik lag ihr besonders am Herzen, und das spürt man heute noch bei einem Spaziergang durch Weimar. Überall aus den Fenstern hört man die Instrumente und Stimmen der Studenten.

Weimar's existence was recorded as early as 899, but its Golden Age did not come until the 18th and 19th centuries, during the reign of Duchess Anna Amalia and her son Duke Carl August. Anna Amalia, widowed at the early age of 19, had her own individual view of social betterment that was not always properly understood by her subjects. A very emancipated woman for her time, she did much for the advancement of the arts, especially music. This is still evident if you walk around Weimar, for the sound of students playing instruments and singing drifts out of windows throughout the town.

L'âge d'or de Weimar, mentionnée pour la première fois en 899, commença durant le règne de la duchesse Anne-Amalie et de son fils le duc Charles-Auguste vers la fin du XVIIIe et au début du XIXe siècle. Veuve dès l'âge de 19 ans, la duchesse avait une conception très personnelle de l'engagement social, pas toujours comprise de ses sujets. Elle était également très émancipée pour son époque en matière d'arts. Elle encouragea particulièrement les arts musicaux ainsi qu'en témoigne aujourd'hui les nombreux étudiants du conservatoire de Weimar.

An historischen Gebäuden mangelt es nicht in Weimar, viele davon gehören zum Weltkulturerbe. So auch jene aus neuerer Zeit, denn auch im 20. Jahrhundert ist die Geschichte nicht stehen geblieben. So wurde das Bauhaus (Bild S. 55 u.r.) von Walter Gropius gegründet. Der berühmte Rokokosaal der Herzogin Anna Amalia Bibliothek wurde nach dem verheerenden Brand 2007 wieder eröffnet. Eine Million Zeugnisse der Kultur- und Literaturgeschichte, vorwiegend aus der Zeit von 1750 bis 1850, zählen zum Bestand.

There is no lack of historic buildings in Weimar, and many are listed as UNESCO World Heritage sites. Some are relatively modern, such as the 20th century Bauhaus (see photo below right, p. 55). The Bauhaus was founded by the architect Walter Gropius in 1919. The famous Rococo hall of Duchess Anna Amalia's library, devastated by a terrible fire in 2007, has now been reopened. The library contains a million examples of cultural and literary history, mainly from the period 1750-1850.

Weimar ne manque pas de monuments historiques, dont beaucoup sont inscrits au patrimoine culturel mondial. Certains datent de temps plus récents car l'histoire ne s'est pas arrêtée au XXᵉ siècle : c'est à Weimar que Walter Gropius a fondé l'école du Bauhaus (illus. p. 55). Restaurée après un incendie dévastateur, la célèbre salle baroque qui abrite la bibliothèque Anna-Amelia est réouverte au public depuis 2007. Elle renferme 1 million d'ouvrages précieux d'époques différentes, mais surtout de 1750 à 1850.

Die höfische Kultur von damals spiegeln die Schlösser Weimars prunkvoll wider. So wie das nur wenige Kilometer von Weimar entfernte barocke Lustschloss Belvedere, welches mit seinem Landschaftspark eine besondere Schönheit ist. Schiller bezog mit seiner Familie 1802 das Haus in der Schillerstraße 12 (vorm. Esplanade) und starb auch hier, nur dei Jahre später. Sein Freund Goethe bewohnte mit Christiane Vulpius das Haus am Frauenplan, welches heute das Goethe-Nationalmuseum ist. Obwohl bereits Geschichte, ist der Bauhausstil immer noch angavandistisch (Bild u.r.).

Today the opulent palaces of Weimar give us an insight into life at court in those days. The Baroque summer palace of Schloss Belvedere, for instance, a few kilometres outside Weimar, stands in especially beautifully landscaped grounds. In 1802 Schiller moved with his family into a house in Weimar, now No. 12, Schillerstrasse (in front of the Esplanade). He died there only three years later. His friend Goethe lived with Christiane Vulpius in a house in Frauenplan, now the Goethe National Museum. Though the Bauhaus is now history, the Bauhaus style can still strike us as avant-garde. (Photo below rt.)

Les somptueux châteaux de Weimar reflètent la culture de cour aux XVIIe et XIIIe siècles. À quelques kilomètres de la ville, le château baroque de Belvédère est entouré d'un parc paysager magnifique. En 1802, Schiller s'installa avec sa famille au numéro 12 de la rue qui porte aujourd'hui son nom et y mourut trois ans plus tard. Son ami Goethe habitait avec Christiane Vulpius la maison au Frauenplan qui est devenue le musée national Goethe. La Maison blanche est de style Bauhaus typique. Le style Bauhaus, créé à Weimar en 1919, est toujours aussi avant-gardiste.

△ Schloss Belvedere bei Weimar   ▽ Goethehaus am Frauenplan   △ Schillerhaus   ▽ Bauhaus Mustersiedlung des 21. Jahrhunderts in Weimar am Horn

WEIMAR, Marktplatz

Der Weimarer Marktplatz ist für jeden Fotografen ein besonderer Leckerbissen. Noch um 1300 wurde er als Turnierplatz genutzt. Heute beginnt dort Weimars Fußgängerzone. Auf dem Marktplatz steht das Renaissance-Rathaus. Dort erklingt viermal täglich ein schönes Glockenspiel. Gegenüber liegt das Lucas-Cranach-Haus, in dem der Künstler (L. Cranach d. Ä.) sein letztes Lebensjahr verbrachte und ein Altarbild für die Stadtkirche begann. Nach seinem Tod vollendet sein Sohn Lucas Cranach d. J. das Bildnis. Diese Renaissance-Bauten gehören zum Weltkulturerbe.

WEIMAR, Market square

Weimar's market square is a photographer's delight. It was first laid out in 1300 and at one time was used for tournaments. Today it is a lively pedestrian zone. The Renaissance Town Hall on the market square has a melodious carillon that rings out four times daily. Next door stands the Lucas Cranach Haus, once the home of Lucas Cranach the Elder, who spent the last year of his life here. He died before his altar painting for the town church was finished, and it was completed by his son Lucas Cranach the Younger. These Renaissance buildings have been designated a World Heritage Site.

WEIMAR, la place du Marché

Outre la pittoresque place du Marché, Weimar compte de nombreux endroits ravissants dont le parc de Tiefurt qui abrite l'ancienne résidence d'été de la duchesse Anna Amalia et le Belvédère avec son château baroque. L'hôtel de ville Renaissance se dresse sur la place du marché, et fait entendre un joyeux carillon quatre fois par jour. Dans la maison voisine, Lucas Cranach l'Ancien vécut sa dernière année et commença un tableau d'autel pour l'église de la ville, qui fut achevé par son fils Lucas Cranach le Jeune. L'ensemble d'édifices Renaissance est inscrit au patrimoine culturel mondial.

◁ **WEIMAR, Lucas-Cranach-Haus**

WASSERBURG KAPELLENDORF

Eine erste Befestigung wurde bereits 833 erwähnt, doch Mitte des 12. Jahrhunderts bauten die Burggrafen von Kirchberg an dieser Stelle eine steinerne Burganlage. Um die Handels-, Kupfer- und Weinstraße zu beschützen, wurde die Burg mit Wassergraben, Zugbrücke, mächtigen Bergfried und starker Ringmauer ausgestattet. Für die Wasserversorgung legte man einen Brunnen und eine Filterzisterne an. 1806 diente die Burg bei der Schlacht bei Jena und Auerstedt als Hauptquartier der preußischen Armee. Die Burg ist heute eine der besterhaltenen in Thüringen.

The moated castle of KAPELLENDORF

A fortification was recorded here as early as 833. In the mid-12th century, the Burgraves of Kirchberg erected a castle on this spot. It was strategically placed to protect local trade routes as well as the transportation of copper and wine, and was encircled by moats. A drawbridge led through massive defensive walls to a sturdy castle keep, while the water supply came from a well and a cistern with a simple filter. In 1806 the castle served as the Prussian army's headquarters during the battle of Jena and Auerstedt. Today it is one of the best kept castles in Thuringia.

LE CHÂTEAU DE KAPELLENDORF

Une première fortification est mentionnée dès 833, mais ce n'est qu'au milieu du XIIe siècle que les landgraves de Kirchberg firent bâtir une forteresse à cet endroit, destinée à protéger les routes marchandes et celles du cuivre et du vin. L'édifice fut entouré de douves, doté d'un pont-levis, de remparts imposants et d'un donjon massif. L'alimentation en eau était assurée par un puits et une citerne à filtre. En 1806, le château fut un quartier général des troupes prussiennes durant la bataille d'Iéna et Auerstedt. Kapellenhof est un des châteaux forts les mieux conservés de Thuringe.

JENA, Stadt und die Jenoptik-Werke

Jena ist die Wiege der feinmecha-nisch-optischen Industrie und der Glasindustrie. Carl Zeiss, Ernst Abbe und Otto Schott ist es zu verdanken, dass die in Jena gefertigten wissen-schaftlichen Präzisionsgeräte Welt-ruhm erlangten. Das Zusammenwirken von Wissenschaft und Technik bestimmte die Entwicklung der Stadt bis in unsere Zeit. Die 1182 erstmals urkundlich erwähnte Stadt Jena liegt im Talkessel der mittleren Saale. Die im Jahr 1554 gegründete Universität, an der Friedrich Schiller lehrte, wurde 1934 nach ihm benannt.

JENA, City center and the Jenoptik

Jena is also regarded as the cradle of the glass industry and the precision-engineered optical industry. Thanks to the pioneering work of Carl Zeiss, Ernst Abbe and Otto Schott, precision instruments manufactured in Jena have become world famous, and the collaboration between science and technology has proved a decisive factor in the growth of Jena until our own time. The town of Jena was first recorded in documents of 1182. It lies in a valley of the central Saale. Friedrich Schiller lectured at the university, founded in 1554, and it was named after him in 1934.

IÉNA, la villede l´optique l'industrie

Iéna est également le berceau de l'in-dustrie du verre et de l'optique. La ville est aujourd'hui mondialement connue pour sa fabrication d'ap-pareils de haute précision, grâce aux grands industriels et précurseurs Carl Zeiss, Ernst Abbe et Otto Schott. La collaboration de la science et de la technique a déterminé le développe-ment de la ville jusqu'à nos jours. Men-tionnée pour la première fois dans un document de 1182, Iéna s'étend dans la vallée encaissée du cours moyen de la Saale. Fondée en 1554, l'université où enseigna Friedrich von Schiller porte le nom du grand écrivain depuis 1934.

Das Jenaer Rathaus im gotischen Stil mit Doppelwalmdach ist Teil des Markt-Ensembles, das als einziges von der ursprünglichen Altstadt erhalten blieb. Im Jahr 1755 mussten Teile des Gebäudes statisch gesichert werden und der Fachwerkturm mit seiner barocken Haube wurde angebaut. Auch die spätgotische Kunstuhr stammt aus diesem Jahr. Sie lässt die Figur des „Schnapphans" zu jeder vollen Stunde nach einer goldenen Kugel schnappen, die ein Pilger an einem Stab hält. Die Figur gehört zu den sieben Wundern Jenas, die über die ganze Innenstadt verteilt sind.

Jena Town Hall was built in Gothic style with a double-hipped roof. It belongs to a group of buildings on the market square that are the sole remains of the original Old Town. In the year 1755, parts of the wooden framework had to be stabilised, and the roof was capped with a timber-framed tower and a Baroque cupola. The Late Gothic decorative clock also dates from 1755. On the hour, the mechanical figure of "Snap-Hans" snaps at a golden ball on a rod held by a pilgrim. The figure is one of the seven wonders of Jena that are spread over the whole town centre.

Construit en style gothique avec un double toit en croupe, l'hôtel de ville de Iéna, situé sur la place du marché, est l'unique édifice conservé de l'ancienne Vieille-Ville d'Iéna. En 1755, il fallut consolider diverses parties de l'édifice pour des raisons statiques. Sa tour à pans de bois couronné d'un dôme baroque fut ajoutée à cette époque, de même que l'horloge à automates néogothique. Toutes les heures, un pantin appelé « Schnapphans » essaie d'attraper une boule dorée piquée sur le bâton d'un vieux pèlerin. Cette horloge fait partie des sept curiosités réparties dans le centre de la ville.

Von der Aussichtsplattform des heutigen Jentowers (ehem. Uniturm), in dem sich auch ein Restaurant befindet, hat man einen eindrucksvollen Ausblick über die Stadt Jena. Der Turm ist mit seinen 159,6 Metern Höhe und seinen 31 Geschossen einer der höchsten Türme Deutschlands. Unweit vom Turm liegt die Goethe-Galerie, die in einmaliger Bauweise die Goethestraße mit einer eindrucksvollen Glas- und Stahlkonstruktion überspannt. Die über 80 Geschäfte und Restaurants laden zum Shoppen ein. Um es wie Goethe zu sagen: „....verweile doch, Du bist so schön!"

From the observation platform of the present-day Jentower (formerly the university tower), visitors have an impressive view over the town of Jena. The tower, which also houses a restaurant, reaches 159,6 metres up and has 31 floors, making it one of the highest towers in Germany. Nearby is the Goethe Gallery, a unique construction of glass and steel that forms a striking arch over Goethestrasse below. With over 80 shops and restaurants, this is an inviting venue, reminding us of Goethe's plea to a happy moment: "Ah, linger on, thou art so fair!"

Un panorama impressionnant sur la ville s'offre depuis la plateforme de Jentowers. qui abrite également un restaurant. Haute de 159,6 mètres et possédant 31 étages, la tour est une des plus élevées d'Allemagne. Non loin, se trouve la galerie Goethe, une architecture unique d'acier et de verre qui franchit la rue Goethe. Cette construction impressionnante abrite plus de 80 restaurants et magasins qui invitent au shopping et, pour suivre une invitation de Goethe : «...attarde-toi, tu es si jolie ! »

Modernste Technik verbirgt sich hinter der silber glänzenden Kuppel der betriebsältesten Sternenwarte der Welt, welche 1926 eröffnet wurde. Auf einer Gesamtprojektionsfläche von 900 m² ist die Bewegung des Sternenhimmels zeit- und wetterunabhängig zu beobachten. Der künstliche Sternenhimmel wird auf die Innenseite der Kuppel projiziert. Seit 2006 besitzt das Planetarium als erstes Sternentheater in Europa eine Laser-Ganzkuppelprojektion. Das Restaurant „Bauersfeld" lädt zu kulinarischen Genüssen unter dem Sternenhimmel ein.

The gleaming silver dome of one of the world's oldest working observatories conceals a mass of state-of-the-art technology. The planetarium, opened in 1926, has a total projection area of 900 square metres on which visitors can observe the movements of astronomical bodies independently of the time of day or weather conditions. The artificial night sky is projected onto the interior of the dome. In 2006 the planetarium became the first in Europe to use full-scale laser projection. The Bauersfeld restaurant offers fine food for hungry star-gazers.

Des techniques de pointe se cachent sous la coupole argentée du plus ancien observatoire en fonction du monde, inauguré en 1926. Sur une surface de projection de 900 m², on peut observer tout ce qui se passe dans le firmament, jour et nuit et sans être gêné par les intempéries. La voûte céleste artificielle est projetée sur la paroi intérieure de la coupole. Depuis 2006, le planétarium, premier théâtre astral d'Europe, possède une projection au laser sur toute la coupole. Le restaurant « Bauersfeld » invite à des plaisirs culinaires sous un ciel étoilé.

Drei Schlösser ragen über dem Saaletal auf und bieten ein abwechslungsreiches Bild der ehemaligen herzoglichen Unterkünfte. Das Alte Schloss wurde 1522 auf den Ruinen der Vorgängerburg errichtet. Es fungierte über die Jahre unter anderem als Verwaltungssitz und Schule. Das Renaissanceschloss liegt am südlichsten und entstand 1539. Es hatte viele Besitzer, unter anderem die Herzöge von Sachsen-Weimar-Eisenach. Das Museum im Schloss berichtet von der Zeit, als Goethe hier ansässig war. Auch im Rokokoschloss von 1774 lebte Goethe hin und wieder, es ist das jüngste der drei Schlösser.

Three palaces on the heights above the Saale valley present us with very varied aspects of former ducal residences. The Alte Schloss was built on the ruins of a castle in 1522. Over the years it has been used for various purposes – as an administrative centre, for instance, and a school. The Renaissance Palace is the southernmost of the three. Built in 1539, it has had many owners, including the Dukes of Saxony-Weimar-Eisenach. In the museum you can learn about the time when Goethe resided here. Occasionally Goethe also lived in the Rococo palace of 1774, the youngest of the three palaces.

Les trois châteaux de Dornburg surplombent la vallée de la Saale. Le plus ancien fut construit en 1522 sur la ruine du premier château de la bourgade. Au cours des siècles, il abrita entre autres le siège de l'administration municipale et une école. Le château Renaissance, bâti en 1539, est situé le plus au sud. Il eut de nombreux propriétaires, dont les ducs de Saxe-Weimar-Eisenach. Le musée du château raconte l'époque durant laquelle Goethe y résida (1828). Le grand écrivain fit également des séjours dans le château baroque érigé en 1774.

△ Das Strohmann'sche Renaissanceschloss (1539)   ▽ Das Rokokoschloss von 1747

Die Altstadt Eisenbergs bietet ein liebenswertes Flair, zu dem das Rathaus am Markt nennenswert beiträgt. Der Bau wurde früh begonnen, vermutlich direkt nach der Verleihung der Stadtrechte im 13. Jahrhundert. 1999 gewann es den bundesweiten Wettbewerb "Fassaden gestalten – Baukultur erhalten". Herzog Christian von Sachsen-Eisenberg errichtete 1680 bis 1692 die Schlosskirche im barockem Stil. Ihre Freskomalereien und Stuckarbeiten sind beeindruckend. Die im Original erhaltene Donat-Trost-Orgel ist unter anderem Mittelpunkt der stattfindenden Konzerte.

If Eisenberg's Old Town possesses its own endearing flair, it is in no small measure due to the fine Town Hall on the market square. Building probably began straight after the town was granted a charter in the 13th century. In 1999, the Town Hall was awarded first prize in a national competition for the best facade of a restored building. Duke Christian of Saxony-Eisenberg built the palace chapel in Baroque style between 1680 and 1692. The frescoes and stucco work are particularly impressive. The original Donat-Trost organ is being shown off during chapel concerts.

Le superbe hôtel de ville sur la place du marché contribue au charme particulier du quartier historique (Altstadt) d'Eisenberg. L'édifice fut sans doute construit juste après que la bourgade reçut ses droits de ville au XIIIe siècle. Admirablement restauré, il gagna en 1999 le concours national « Aménagement des façades -conservation de la culture architecturale ». Le duc Christian de Saxe-Eisenberg fit ériger l'église baroque du château entre 1680 et 1692. Ses fresques et stucs sont remarquables. L'orgue baroque est dû aux facteurs d'orgues Donat et Trost.

GERA, Otto-Dix-Stadt

Im 12. Jahrhundert schon als Siedlung bekannt, konnte sich der Ort jedoch nur langsam entwickeln, bis das Geschlecht der Reuß (1564) sich hier niederließ und für die Residenzstadt eine Blütezeit anbrach. In dieser Zeit entwickelte sich schon die Textilindustrie. Dieser Aufstieg der Stadt spiegelte sich dann auch in den reich verzierten Gebäuden wider, wovon nach vielen Stadtbränden nur noch wenige erhalten geblieben sind, wie das Rathaus oder die Stadtapotheke. Jedes Jahr feiert Gera das Höhlerfest in und unter der Stadt, in den ehemaligen Bierreservoirs der Altstadt.

GERA, birthplace of Otto Dixl

There was a settlement here as early as the 12th century, but the town was slow to develop until it became a seat of the Reuss dynasty in 1564. With the advent of the aristocracy, Gera enjoyed a new period of prosperity. The local textile industry was established at this time, and the wealth of the town found expression in numerous ornately decorated buildings. Apart from the Town Hall and the town pharmacy few remain, for most were destroyed in a series of town fires. Gera celebrates an annual Old Town festival in and around the underground caves once used to store beer.

GERA, l´hôtel de ville

Bien que mentionnée dans des écrits dès le XIIe siècle, Gera resta un petit village sans importance jusqu'à ce que la lignée des Reuß s'y installât en 1564. La ville connut alors la prospérité, notamment grâce au développement de l'industrie textile, ce dont témoignaient les maisons aux façades richement ornées. Gera fut toutefois ravagée par plusieurs incendies, mais elle abrite encore plusieurs magnifiques édifices anciens tels que l'hôtel de ville et la pharmacie municipale. Chaque année, la ville célèbre la Fête des Cavernes où était autrefois entreposée la bière. Le célèbre peintre Otto Dix naquit près de Gera.

Auf eine 1000-jährige Geschichte kann diese Stadt zurückblicken, die einst eine Kaiserpfalz war, in der Friedrich Barbarossa Hof hielt. Bis 1918 war sie die Residenz von Sachsen-Altenburg. Von dieser fürstlichen Macht vermittelt das mächtige Schloss, eines der größten in Thüringen, noch einen nachhaltigen Eindruck. Als ein Wahrzeichen der heute weithin durch die Spielkartenherstellung bekannten Ostthüringer Metropole gelten die roten Backsteintürme aus dem 12. Jahrhundert. Kunstinteressierte zieht es in das Lindenau-Museum.

The town of Altenburg, once an imperial residence in which Emperor Friedrich Barbarossa held court, can look back on one thousand years of history. Until 1918, the town was the residence of the playing-card production of Saxony-Altenburg, and even today the imposing castle, one of the largest in Thuringia, conveys a lasting impression of the might of its once powerful lords. One of the landmarks of this metropolis of eastern Thuringia is a group of brick towers known as the Red Spires, which date from the 12th century.

Vieille de mille ans, Altenburg fut autrefois un fort impérial où l'empereur Frédéric Barberousse avait sa cour. Elle fut également la ville de résidence des princes de Saxe-Altenburg jusqu'en 1918 ainsi qu'en témoigne l'imposant château qui est un des plus grands de la Thuringe. Les «Roten Spitzen», un ensemble de tours en briques rouges (XIIe siècle), sont un des symboles de la capitale de la Thuringe orientale. Le musée Lindenau abrite d'intéressants objets d'art dont un admirable panneau peint de style Renaissance italienne.

Unweit von Altenburg liegt das Schloss Windischleuba, eine ehemalige Wasserburg aus dem 14. Jahrhundert mit zinnengeschmücktem Rundturm und Renaissance-Flügeln. Im Inneren blieben reizvolle Rokoko-Räume und auch spätere Ausstattungen erhalten. Namhafte Adelsfamilien, wie zum Beispiel die Familien von Lindenau/Zehmen und die Familien von der Gabelentz/Münchhausen, waren Besitzer des Schlosses. Bis er im März 1945 starb, bewohnte der Baladendichter, Schriftsteller und Lyriker Börries Freiherr von Münchhausen das Schloss.

Not far from Altenburg stands Schloss Windischleuba, a former moated castle dating from the 14th century, with a crenellated round tower and Renaissance wings. In the interior some delightful Rococo rooms and later furnishings have been preserved. The castle was once owned by such prominent titled families as those of Lindenau/Zehmen and von Gabelentz/Münchhausen. The branch of the Münchhausen family from which the famous baron came, the ballad poet Börries Münchhausen, lived in the castle of Windischleuba until he died in march 1945.

Près d'Altenburg se dresse Windischleuba, un ancien château du XIVe siècle avec des douves, un donjon à créneaux et des ailes Renaissance. L'intérieur abrite de magnifiques salles aménagées en style baroque et autres styles ultérieurs. Le château fut la résidence de grandes familles nobles dont les Lindenau/Zehmen et les Gabelentz/Münchhausen. Le baron fanfaron de Münchhausen, dont les ballades sont restées dans la littérature allemande vécut ici jusqu'à sa mort en Mars 1945.

Die an der Reußischen Fürstenstraße gelegene Stadt, die auf eine 800 jährige wechselvolle Geschichte zurückblicken kann, ist die älteste in der Ostthüringer Region und von großer historischer Bedeutung: Geht doch der Name „Vogtland" auf die Vögte von Weida zurück. Das Wahrzeichen der Stadt ist die Osterburg mit ihrem über 50 Meter hohen charakteristischen Turm. Mit nahezu 6 Meter starken Mauern ist der Turm einer der höchsten und auch ältesten in Deutschland. Von hier aus hat man eine herrliche Aussicht auf die Landschaft Ostthüringens.

The town, which stands on the Lords of Reuss Route, can look back on 800 years of turbulent history. It is the oldest town in the eastern Thuringia region and of great historical importance. The name Vogtland derives from the Vogt (or governor) of Weida. The town's most distinctive landmark is the stronghold of Osterburg. Its characteristic tower, over 50 metres high, and its almost six-metr-thick walls, it is one of the highest and also oldest ones in Germany. It is worth a visit for the wonderful view it provides over the attractive countryside of East Thuringia.

Située sur la «Route des princes de Reuss», la plus ancienne ville de la région orientale de la Thuringe a 800 ans d'histoire mouvementée à raconter. Son symbole est le château d'Osterburg, ancien siège des puissants prévôts de Weida. Dominé par un donjon de 50 m de haut et entouré de murs de 6 m d'épaisseur, l'édifice est un des plus anciens châteaux d'Allemagne. On découvre un panorama magnifique sur la campagne de Thuringe depuis le haut de la tour. Le musée installé dans le château retrace l'histoire de la ville.

Im Tal der Weißen Elster ließen sich die Fürsten von Reuß (ältere Linie) nieder und residierten von 1306 bis 1918 in Greiz. Das Untere und Obere Schloss entstand durch eine Aufteilung des Ortes, die aber 1768 wieder aufgehoben wurde. Somit verfügt Greiz über zwei Residenzen: eine schwebt förmlich auf dem Schlossberg und die andere schmiegt sich mit der Stadtkirche an das Ufer der Weißen Elster. Für Jugendstilliebhaber sind die Markt- und Thomasstraße eine wahre Fundgrube. Das "Haus der schönen Zuflucht", ein frühklassizistisches Sommerpalais (1769-1779), liegt malerisch im Greizer Park.

The senior branch of the Reuss dynasty settled in the Weisse Elster valley in the Middle Ages, making Greiz their residence from 1306 to 1918. Two palaces were built here, the Upper and Lower Palace, because Greiz was divided at the time and not reunified until 1768. The Upper Palace stands high above the rooftops, while the Lower Palace nestles beside the town church on the banks of the Weisse Elster. For Art Nouveau lovers, Marktstrasse and Thomasstrasse are architectural treasure troves. The "Beautiful Retreat", an early Neo-Classical summer palace (1769-79), is picturesquely situated in Greiz Park.

Située dans la vallée de l'Elster blanche, Greiz fut la résidence des princes de Reuß de 1306 à 1918. Deux châteaux furent construits après que la localité eut été partagée en deux, avant d'être de nouveau réunie en 1768. Greiz possède ainsi deux demeures seigneuriales. Perché sur une colline, le château supérieur couronne la ville tandis que le château inférieur se dresse sur une rive de l'Elster blanche, à côté de l'église paroissiale. Le parc de Greiz offre un bel écrin de verdure au château d'agrément bâti de 1769 à 1779.

Zeulenroda war im Mittelalter eine wirtschaftsschwache Enklave, die erst Mitte des 18. Jh. Aufschwung erlebte. Stadtbrände erzeugten immer wieder Rückschläge, doch in Zeulenroda konnte sich dennoch eine blühende Strumpfwirkerei entwickeln und erzeugte Wirtschaftskraft. In den Jahren 1825-1828 wurde das klassizistische Rathaus nach den Entwürfen des Architekten und Strumpfwarenverlegers Christian Schopper als Zeichen des Wohlstands erbaut. Ein weiterer berühmter Sohn der Stadt war der Physiker Adolf Scheibe, der die erste Quarzuhr in Deutschland herstellte.

In the Middle Ages, Zeulenroda was a very poorly developed area. This situation did not change until the mid-18th century, when the town experienced an upswing in its economy. Although Zeulenroda was often ravaged by fire, the hosiery industry flourished despite such setbacks, becoming a major source of civic wealth. The neo-Classical Town Hall (1825-1828) was designed by the architect and hosiery manufacturer Christian Schopper as a symbol of the town's prosperity. Another famous inhabitant was the physicist Adolf Scheibe, who produced the first quartz clock in Germany.

Du Moyen Âge au milieu du XVIIIe siècle, Zeulenroda resta une bourgade sans aucun essor économique, qui subit en outre maints revers en raison d'incendies dévastateurs. Mais la petite ville au sud de Gera continua de lutter et connut enfin un âge d'or grâce à l'industrie de la bonneterie. Un des témoins architecturaux de sa prospérité est l'imposant hôtel de ville de style néoclassique. Il fut érigé entre 1825 et 1828 d'après les plans de l'architecte Christian Schopper qui possédait également une manufacture de bonneterie.

SCHLEIZ, Rathaus und Bergkirche

Das kleine Städtchen Schleiz, das heute zu den Schönheiten Ostthüringens zählt und durch die Reußische Fürstenstraße erreicht werden kann, ist in unserer Zeit vor allem durch die Schleizer-Dreieck-Motorrennstrecke in Deutschland bekannt geworden. Auch sonst lohnt sich ein Besuch: Am Alten Gymnasium erinnert eine Gedenktafel daran, dass dort Dr. Konrad Duden einmal Direktor war, der das nach ihm benannte Kompendium geschaffen hat. Ein Kleinod der Baukunst ist die berühmte Bergkirche, eine der schönsten Mitteldeutschlands.

SCHLEIZ, town hall and Bergkirche

The little town of Schleiz, which today is regarded as one of the most beautiful in eastern Thuringia, can be reached via the Reussische Fürstenstrasse (Lords of Reuss Route). In our time it has become famous for the motor-races held here. But it is worth visiting for other reasons, too: At the old Grammar School there is a plaque in memory of one of its former headmasters, Dr Konrad Duden, the distinguished German lexicographer. The famous hilltop church, a jewel of ecclesiastical architecture, stands out within.

SCHLEIZ, hôtel de ville; Bergkirche

Située sur la «route des princes de Reuss», la petite ville de Schleiz est aujourd'hui un des plus agréables localités de la Thuringe orientale et lieu de départ de belles randonnées. Elle abrite plusieurs édifices intéressants dont le «Altes Gymnasium» (ancien lycée) dans lequel une plaque commémorative dédiée à Konrad Duden rappelle que l'auteur de la célèbre encyclopédie fut autrefois directeur de l'établissement. La «Bergkirche», véritable joyau architectural, est une des plus belles églises du centre de l'Allemagne.

Leben anno 1300 ist im Schloss Burgk möglich, dessen Anlage mit dem kleinen Örtchen Burgk auf einer Anhöhe über der Oberen Saale thront. Geprägt von den Einflüssen von Gotik bis Rokoko bietet das Schloss prachtvolle Räume, die einen eindrucksvollen Einblick in die Wohnkultur des Rokoko geben. Imposant ist das Prunkschlafzimmer. Zahlreiche Konzerte finden in der angrenzenden Schlosskapelle mit der herausragenden Silbermannorgel statt. Zu Spaß und „Kurzweyl" laden diverse Veranstaltungen uber das ganze Jahr ein.

Schloss Burgk, which dates from the 14th century, stands in the tiny settlement of Burgk on a height above the upper reaches of the River Saale. The buildings display architectural influences ranging from Gothic to Rococo, and the splendid state rooms give visitors an impressive insight into the culture of Rococo interiors. An especially fine example is the magnificent bedchamber. Numerous concerts take place in the adjacent chapel, with its superb Silbermann organ. Various other events offer visitors amusement and enjoyment over the whole year.

Repartons en l'an 1300 au château de Burgk et son petit village éponyme qui trônent sur une hauteur au-dessus de la rivière Saale. De magnifiques salles de style gothique à rococo donnent un aperçu captivant de la vie et l'habitat aux diverses époques. La chambre à coucher principale est superbe. De nombreux concerts ont lieu dans la chapelle du château qui renferme un orgue de Silberman. Durant toute l'année, diverses manifestations et réjouissances sont organisées au château.

Als läge Thüringen am Meer: Die Bleilochtalsperre ist mit einem Speichervolumen von 215 Millionen Kubikmetern Wasser (Stauhöhe 58 Meter) Deutschlands größter Stausee. Ihren Namen verdankt sie ihrer Lage zwischen den Bleibergen. Die von weitläufigen Waldflächen geprägte Landschaft um den See wird von Wanderern und Radfahrbegeisterten ebenso geschätzt, wie der ausladende See von den Wassersportlern. Das jährlich im August stattfindende Musikfestival Sonne-Mond-Sterne ist das Highlight für Freunde der elektronischen Musik.

Thuringia-on-sea? It almost looks like it around Bleiloch reservoir, which with a storage capacity of 215 million cubic metres of water (stowage height 58 metres) is Germany's largest reservoir. The name derives from its location between the Bleiberge, or lead hills. The countryside around is dominated by extensive woodlands that are as valued by keen walkers and cyclists as the wide expanses of the lake are by water sports enthusiasts. The annual Sun, Moon and Stars festival in August is a highlight of the year for fans of electronic music.

La Thuringe est un pays d'eau. Avec un volume de 215 millions de mètres cubes d'eau (hauteur de 58 mètres), le barrage de Bleilochtalsperre a le plus vaste lac de retenue d'Allemagne. Il doit son nom à sa situation entre les Bleibergen. Les vastes forêts autour du lac sont autant appréciées des randonneurs à pied et à bicyclette que les eaux du lac des amateurs de sports aquatiques. Le festival de musique « Sonne-Mond-Sterne » (Soleil-Lune-Étoiles), qui se tient annuellement en août, est un rendez-vous majeur des fans de musique électronique.

Von welcher Seite man sich diesem kleinen Städtchen auch nähert, von weitem grüßt der „Alte Turm", der noch stehende Rest einer alten Burg aus dem 13. Jahrhundert. Im Park befindet sich ein barocker Pavillon, der zur erhalten gebliebenen Schlossanlage aus dem 18. Jahrhundert gehört. Der Ort entwickelte sich zum bedeutendsten Moorbad Thüringens, als man in der Nähe eisenhaltige Quellen und ein heilkräftiges Urmoor entdeckte.

No matter from which direction you approach this little town, you are greeted from far by the sight of the Alter Turm, or old tower, the only remains of a 13th century castle that stood here long ago. In the park you find a Baroque pavilion which was once part of the 18th century palace grounds. After ferrous springs and a natural mud with therapeutic properties were discovered in Lobenstein, it developed into the most important health resort of its kind in Thuringia.

Une haute tour, vestige d'un ancien château du XIIIe siècle, salue de loin le visiteur qui s'approche de Lobenstein, quelle que soit la direction par laquelle il arrive. Le parc de la charmante ville abrite un pavillon baroque du XVIIIe siècle, élément conservé des aménagements du château. Lobenstein est devenue une station thermale réputée pour ses bains de boue lorsqu'on découvrit une source ferrugineuse et une boue aux vertus médicinales dans les environs.

Die Talsperren sind aber nicht nur reizvolle Elemente einer schönen Landschaft, sondern auch Wasserreservoire des Landes. Die Hohenwarte-Talsperre, das so genannte „Thüringer Meer", die gestauten Abschnitte wirken wie ein riesige Kaskade, die sich etwa 80 Kilometer lang durch das wunderschöne Saaletal mit seinen steilen Hängen winded. Hier kommen auch Natur- und Sportbegeisterte auf ihre Kosten. — Schon Goethe gefielen der idyllische Ort Pößneck mit dem spätgotischen Rathaus am schrägen Marktplatz und die ausgeprägte Landschaft mit den schönen Herrschaftshäusern und Burgen.

The reservoirs shown here are not only the main sources of drinking water in Thuringia, but also make their own picturesque contribution to the attractive landscape of the state. Bleiloch, on the upper reaches of the river Saale, was completed in 1932. The dam is 58 metres high, and with a capacity of 215 million cubic metres the reservoir is still the largest in Germany. — Goethe spoke highly of the idyllic little town of Pößneck. Its late Gothic town hall is set in an unusual, irregularly shaped market square and the distinctive landscape with its beautiful mansions and castles.

La Thuringe possède deux barrages importants qui ne constituent pas seulement des éléments attractifs du paysage, mais sont aussi les réservoirs d'eau de la région. Le barrage de Bleiloch fut édifié en 1932 sur le cours supérieur de la Saale. Il est le plus grand barrage d'Allemagne avec 215 millions de mètres cubes d'eaux de retenue. — Goethe appréciait beaucoup ce site magnifique formé par la place du Marché dominée par, l'hôtel de ville de style gothique tardif ainsi que, le paysage parsemé très beaux châteaux.

▽ Barockschloss Brandenstein im Saale-Orla-Kreis bei Ranis

▽ Schloss Oppurg bei Pößneck (1768)

▽ Oppurg bei Pößneck, Schlossturm und Schlosseingang

Von der Leuchtenburg kann man ungehindert seinen Blick über das Saaletal und den Thüringer Wald bis zum Harz schweifen lassen. Um 1200 wurde sie auf dem 400 Meter hohen Lichtenberg erbaut, als die Herren von Auhausen rechts der Saale vorstießen. In ihrer wechselvollen Geschichte diente sie vor allem als Zufluchtsort, aber auch als oberste Gerichtsbehörde, Zuchthaus und Hotel. Heute dokumentiert sie als Museum die Burggeschichte mit mittelalterlicher Folter, das Leben von Gemeinde Weinbau. Heute als Jugendherberge ist sie geschichtsträchtige Unterkunft.

From Leuchtenburg castle the uninterrupted view roams across the Saale valley, the Thuringian Forest and the Harz mountains. The castle was built on the 400-metre-high Lichtenberg around 1200 after the Lords of Auerbach had subjugated the lands east of the Saale. During its turbulent history it served mainly as a refuge, but also as a legislative institution, a prison and even a luxury hotel. Today it offers low-cost accommodation as a youth hostel, along with a museum exhibiting the history of the castle, the community, wine-growing methods and medieval torture.

Depuis la Leuchtenburg, s'offre un superbe panorama sur la vallée de la Saale et le Thüringer Wald jusqu'au massif du Harz. Le château fut construit vers 1200 sur le Lichtenberg, mont de 400 mètres de hauteur, lorsque les seigneurs d'Auhausen vinrent occuper la rive droite de la Saale. Dans son histoire mouvementée, il fut refuge, tribunal de haute instance, prison et même hôtel de luxe. Aujourd'hui, le « roi des châteaux de la Saale » est un musée qui raconte l'histoire du château, et de la commune . Il abrite en outre une auberge de jeunesse très cotée.

△ Leuchtenburg mit Blick in das Saaletal ▽ Mittelalterspektakel auf der Leuchtenburg ▽ △ Leuchtenburg – die Königin des Saaletales

Das Kloster wurde von der Tochter des kaiserlichen Truchsess Moricho gegründet. Nach der Überlieferung verirrte sich Paulina bei einer Reise durch das Gebiet, so dass sie mit ihrem Gefolge ihr Nachtlager in einer Hütte aufschlagen musste. Dort erschien ihr die Muttergottes und Paulina beschloss 1102 in dem schönen Rottenbachtal ein Kloster zu bauen. Leider erlebte Paulina die Fertigstellung des Klosters im Jahr 1124 nicht mehr. Die Klosterruine Paulinzella spiegelt auch heute noch als Ruine einen gewaltigen Eindruck romanischer Baukunst wider.

The convent was originally founded by Paulina, the daughter of Morio, the Imperial seneschal. According to legend, she lost her way while travelling through this region, so she had to stop overnight in a hut with her entourage. Here she experienced a vision of the Virgin Mary, and in 1102, decided to build a convent in the beautiful valley of Rottenbach. Unfortunately, she did not live to see the completion of the buildings in 1124. Even today, as a ruin, the convent of Paulinzella remains a powerful example of Romanesque architecture.

Le cloître fut fondé par la fille de l'écuyer impérial Moricho. Lors d'un voyage, Paulina se serait égarée dans la région et aurait été obligée de faire halte pour la nuit avec sa suite dans une cabane. Là, lui apparut la Vierge Marie. Paulina décida alors en 1202 de fonder un cloître dans la belle vallée du Rottenbachtal. Malheureusement elle était déjà morte quand le cloître fut achevé en 1124. Aujourd'hui, les vestiges impressionnants du Paulinzella évoquent l'art roman dans toute sa beauté imposante.

Das liebenswürdige Rudolstadt, 776 erstmalig urkundlich erwähnt, liegt inmitten der reizvollen Garten- und Waldlandschaft an Saale und Schwarza und empfiehlt sich als Ausgangspunkt für Wanderungen zum Thüringer Wald, nach Weimar und Jena oder Arnstadt und Ilmenau. Wilhelm von Humboldt zählte die Rudolstädter Gegend zu den „schönsten und schöneren Deutschlands". Schiller lernte hier seine Frau, Charlotte von Lengefeld, kennen und traf zum ersten Mal mit Goethe zusammen.

The delightful town of Rudolstadt, in 776 mentioned for the first time, stands in the midst of a picturesque garden and woodland landscape on the rivers Saale and Schwarza and is an ideal spot from which you can start a walking tour, whether to the Thuringian forest, to Weimar and Jena or to Ilmenau. Wilhelm von Humboldt regarded the area around Rudolstadt as one of the most beautiful in all Germany and it was here that Schiller made the acquaintance of his future wife, Charlotte von Lengefeld, and met Goethe for the first time.

Rudolstadt s'étend au coeur des magnifiques paysages de forêts et de vergers des rivières Saale et Schwarza. Mentionnée pour la première fois eu 776, la jolie petite ville est le point de départ d'excursions vers le « Thüringer Wald », Weimar, Iéna, Ilmenau et Arnstadt. Les environs de Rudolstadt ont enchanté de nombreux personnages illustres. C'est ici que Schiller fit la connaissance de sa future épouse, Charlotte von Lengefeld, et rencontra Goethe pour la première fois.

In der Nahe von Rudolstadt liegt das Schloss Kochberg (um 1600), welches sich bis 1946 im Besitz der Familie von Stein befand. Das heutige Museum zeigt neben illustrierter Schlossgeschichte Möbel und Kunstgegenstände der Charlotte von Stein, die an Goethes Besuche erinnern. Als ständige Residenz Rudolstadts begann 1571 der Bau der Heidecksburg zu einem repräsentativen Schloss. Nach einem Brand 1735 vollendete man den Neubau im Barockstil. Nach Plänen des Baumeisters Krohne schuf man die Innenräume und den eindrucksvollen Thronsaal.

Not far from Rudolstadt stands Schloss Kochberg, built around 1600. Until 1946 it was in the possession of the Von Stein family. In the present-day museum there is an exhibition of the mansion's history and a display of furniture and artworks once belonging to Charlotte von Stein, who often received her friend Goethe here. The great palace and ducal residence of Heidecksburg was begun in 1571. After a fire in 1735, it was partly rebuilt in Baroque style. The interior and the impressive throne room were designed by the master builder Krohne.

Près de Rudolstadt, se trouve le château de Kochberg (vers1600), jusqu'en 1946 propriété de la famille von Stein. Le musée actuel montre, outre l'histoire illustrée du château, des meubles et objets d'art de Charlotte von Stein, qui rappellent les visites de Goethe. En 1571 fut entreprise la construction du château de Heidecksburg après que Rudolstadt avait été choisie comme ville de résidence permanente. Il fut achevé en style baroque après un incendie en 1735. L'impressionnante salle du trône et les appartements furent construits selon des plans de l'architecte Krohne.

△ Schloss Kochberg mit Schlosspark und Liebhabertheater ▽ Tanz- u. Folklorefestival in Rudolstadt △ Heidecksburg (Innenhof) – Thüringer Landesmuseum, Staatsarchiv – ▽ Thronsaal

Als eine der ältesten Gründungen Ostthüringens wurde Saalfeld durch das Benediktinerkloster, wo heute das barocke Saalfelder Schloss steht, zum kirchlichen Zentrum. Wie im Stadtwappen zu sehen ist, erhielt der Ort Stadtrechte und durfte Fischfang in der Saale betreiben und Gericht halten. Während dieser Zeit musste die Stadt schöne Bauten gehabt haben, die leider 1517 einem Brand zum Opfer fielen. Heute zeigt sich die Altstadt vorwiegend im Renaissance-Stil des 16. und 17. Jh. Behütet wurde die Stadt von der Burg Hohe Schwarm, die hoch über der Saale aufragt.

Saalfeld, one of East Thuringia's oldest towns, became an ecclesiastical centre on account of its Benedictine monastery. The Baroque Schloss Saalfeld now stands on the site. As its coat of arms shows, the town was granted various privileges, such as the right to fish in the Saale and hold a court of assizes. There must once have stood many fine buildings, but sadly, they were all destroyed by fire in 1517. Today the Old Town's houses are mainly in the Renaissance style of the 16th and 17th centuries. Hohe Schwarm Castle, high above the Saale, once protected Saalfeld against attack.

Saalfeld, une des plus anciennes localités de l'est de la Thuringe, devint un centre religieux important avec la fondation d'un monastère de Bénédictins, à l'endroit où se dresse aujourd'hui le château baroque. Comme l'illustrent les armes de la localité, Saalfeld possédait des droits de ville l'autorisant à pêcher dans la Saale et à rendre la justice. La bourgade médiévale prospère fut malheureusement ravagée par un incendie en 1517. Le style Renaissance des XVIe et XVIIe siècles domine aujourd'hui dans l'Altstadt, son quartier historique.

Eine Sehenswürdigkeit ersten Ranges sind die Tropfsteinhöhlen „Feengrotten", die aufgrund ihrer facettenreichen und eindrucksvollen Beschaffenheit sogar ins Guinness-Buch der Rekorde gelangten. Der Sage nach verhalfen die Feen mit ihren magischen Kräften zu dem unterirdischen atmosphärischen Farbenspiel. Ins mittelalterliche Bergwerk kann man heute mit täglichen Führungen einfahren. Auch werden die heilenden Kräfte der Feengrottenluft zu einer Therapie (z. B. zur Allergiebehandlung) schon seit 1937 genutzt.

The limestone caves of the Fairy Grottoes are a first-class visitor attraction, and the complex and striking character of their structures has even earned them an entry in the Guinness Book of Records. According to legend, this atmospheric subterranean world of form and colour was created by fairies with magical powers. Today you can explore the interior during daily tours of the medieval mines. The air is said to have healing properties, and since 1937 the caves have been used for therapeutic purposes, for instance in the treatment of allergies.

Les grottes de stalactites et stalagmites « Feengrotten » sont une curiosité remarquable, aux propriétés si uniques qu'elles sont entrées dans le livre des records Guinness. Selon la légende, grâce à leur pouvoir magique, des fées auraient aidé à créer les jeux de couleurs qui imprègnent l'atmosphère souterraine. Aujourd'hui, des visites guidées quotidiennes emmènent dans les anciennes mines médiévales. Depuis 1937, les vertus curatives de l'air des grottes des fées sont utilisées à des fins thérapeutiques, entre autres pour soigner les allergies.

Der Thüringer Wald mit dem Rennsteig

Der Ort liegt stellenweise über 800 Meter hoch und zählt damit zu den höchstgelegenen auf dem Kamm des Thüringer Schiefergebirges im Rennsteig-Gebiet. Der Höhenwanderweg im Thüringer Wald bildet zum Teil die Hauptstraße der Stadt. Ausgedehnte Wälder reichen bis an die Stadt heran. Seit 1933 ist Neuhaus ein vielbesuchter Höhenluftkurort und attraktiver Wintersportplatz. Eng verknüpft mit der Geschichte des Ortes ist die Entwicklung der Glasindustrie, auch begann man hier sehr früh mit der Porzellanherstellung.

Parts of Neuhaus lie at a height of over 800 metres, thus making it the highest site on the ridge of the Thuringian Slate Hills. It is situated on the Rennsteig, which in parts serves as the main street of the town. Large expanses of surrounding woodland extend to the town itself. Since 1933 Neuhaus has been a popular high-altitude health resort and an attractive winter sports centre. Closely associated with the history of the town is the development of the glass industry, and there also used to be an early porcelain manufactory here.

Située à 800 mètres d'altitude, Neuhaus est la plus haute localité de la crête de la «Thüringer Schiefergebirge» (Montagne d'ardoise de Thuringe). De vastes forêts s'étendent jusqu'à la lisière de la ville. Neuhaus est une station climatique et une station de sports d'hiver très fréquentée depuis 1933. L'histoire de la ville est étroitement liée au développement de l'industrie du verre. Des manufactures de porcelaine y furent également fondées très tôt. L'inventeur du four «Geissler», auquel il donna son nom, est né ici en 1815.

SONNEBERG Rathaus, Deutsches Spielzeugmuseum

Wo kann eine Spielzeugstadt schon liegen? An der Deutschen Spielzeugstraße natürlich! Und wie der Name schon sagt, an einem Südhang des Thüringer Waldes. Allerdings hat der Ortsname doch eher etwas mit dem Geschlecht der Herren von Sonneberg zu tun, die hier im 12. Jahrhundert eine Siedlung gründeten. Schon im 16. Jahrhundert wurde Sonneberg durch seine Spielwaren bekannt. Vor 1914 hatte die Stadt einen Weltmarktanteil von 20 %! Aufgrund der langen Tradition der Spielwarenherstellung eröffnete man 1901 das Spielwarenmuseum.

SONNEBERG, Town Hall German Toys Museum

Where would you expect to find the town of German toys? On the German Toy Route, of course! Sonneberg is the site of the German Toy Museum and as its name might suggest, stands on the south-facing slopes of the Thuringian Forest. In fact, the name Sonneberg derives from the Sonneberg dynasty who founded a settlement here in the 12th century. The town was famous for toy manufacture as early as the 16th century, and up to 1914, produced per cent of the world's toys. Sonneberg was therefore an ideal location for a Toy Museum, established here in 1901.

SONNEBERG, Hôtel de ville, Musée du jouet

La ville du jouet se trouve comme son nom l'indique sur une montagne ensoleillée, dans ce cas, un versant sud du Thüringer Wald. Toutefois la localité ne doit pas son nom (Montagne ensoleillée) au climat, mais à la lignée des seigneurs de Sonneberg qui s'établirent à cet endroit au XIIe siècle. Sonneberg fut connue pour sa fabrication de jouets dès le XVIe siècle. Jusqu'à la déclaration de la Première Guerre mondiale en 1914, 20 % de la production mondiale de jouets provenaient de Sonneberg ! À visiter absolument : le musée du jouet inauguré en 1901.

In Hildburghausen ist der fränkische Einfluss und der der Hugenotten allgegenwärtig. Die heutige Kreisstadt pflegt die Hinterlassenschaften aller Epochen und der Zeit, als das Fürstentum Sachsen-Hildburghausen hier residierte. Die beliebte Königin Therese von Bayern, welche 1810 den bayerischen Kronprinzen Ludwig heiratete, wuchs hier auf. „Bildung macht frei", das war die Devise von Carl Joseph Meyer, als er in Hildburghausen 1828 das Bibliographische Institut einrichtete, welches der Grundstein für die Herausgabe seiner Groschen-bibliothek und der großen Enzyklopädie war.

Franconian and Huguenot influences are still evident wherever you go in Hildburghausen. Now a district town, it carefully maintains the legacy of its long heritage, in particular that of the time when this was the seat of the Dukes of Saxony-Hildburg-hausen. The well-loved Queen Therese of Bavaria, who married Crown Prince Ludwig of Bavaria in 1810, spent her childhood here. "Education brings freedom" was the motto of Carl Joseph Meyer, who established his Bibliographic Institute here in 1828. It was to become the starting-point of his 'Penny Library' and his great encyclopaedia.

Les influences franconiennes et huguenotes sont présentes partout à Hildburghausen. Le chef-lieu d'arrondissement entretient soigneusement les legs de toutes les époques, notamment du temps où la lignée princière de Sachsen-Hildburghausen y résidait. La très populaire reine Thérèse de Bavière qui épousa le prince héritier Louis de Bavière en 1810 grandit à Hildburghausen. « L'instruction apporte la liberté » était la devise de l'éditeur Carl Joseph Meyer qui fonda l'Institut bibliographique en 1828.

△ Hildburghausen, Christuskirche (1781 – 1785)   ▽ Marktplatz mit Rathaus (1595)   △ Otto-Ludwig-Museum im Schloss Eisfeld   ▽ Kloster Veßra gegründet 1130/31

Die Bertholdsburg, Wahrzeichen der Stadt Schleusingen und bis 1583 Sitz der Grafen von Henneberg, wurde zwischen 1226 und 1232 errichtet. Im Gegensatz zu anderen Burgen und Schlössern liegt sie mitten in der Stadt. Graf Berthold VII. von Henneberg ließ die Burg 1284 erweitern, nach ihm ist sie auch benannt. Von der 30 Meter hohen Galerie des Hauptturmes hat man einen besonders schönen Blick auf die einstige Residenzstadt. Heute ist Schleusingen beliebtes Ausflugsziel für Touristen und Ausgangspunkt zahlreicher Wanderwege in die waldreiche Umgebung.

The Bertholdsburg, landmark of the city Schleusingen and until 1583 seat of the counts of Henneberg, was constructed between 1226 and 1232. Unlike other castles, lies is in the middle of the city. Count Berthold VII from Henneberg had the castle extended in 1284; after that they also designated it. A beautifull view over the former residence city you have from the gallery of the main tower, which is 30 meters high. Today Schleusingen is a popular place of excursions for tourists and a starting point of numerous hiking ways into the forest-rich environment.

La Bertholdsburg, symbole de Schleusingen et résidence des comtes de Hennenberg jusqu'en 1583, fut érigée entre 1226 et 1232. Contrairement aux autres châteaux forts, la Bertholdsburg se dresse au cœur de la ville. L'édifice doit son nom au comte Berthold de Hennenberg qui le fit agrandir en 1284. Un panorama splendide sur l'ancienne ville comtale s'offre depuis la galerie de la tour principale, située à 30 mètres de hauteur. Schleusingen est aujourd'hui un but d'excursion très apprécié et le point de départ de belles randonnées dans les forêts environnantes.

Meiningen entwickelte sich schnell als Handelszentrum im Südthüringer Raum und konnte seine Machtposition bis ins 20. Jahrhundert bewahren. Somit ist es nicht verwunderlich, dass die Stadt über viele Epochen hinweg eine Ansammlung der schönsten Bauwerke in diesem Raum erhalten konnte. Die Gunst des Wohlstandes zog natürlich kulturellen und geistigen Zuwachs an, so dass die Stadt viele Persönlichkeiten von Rang und Namen beherbergte. Bis heute ist Meiningen in der Welt des Theaters, der Hochtechnologie und als Finanzzentrum eine wichtige Größe.

Meiningen underwent rapid development as an important commercial centre of South Thuringia, and has maintained its influential status up to the 20th century. It is, thus hardly surprising that the town is home to many of the finest architectural treasures of the region, dating from various epochs of its history. Meiningen's prosperity proved advantageous to its cultural and intellectual life, and drew many distinguished names here. Even today, the town is famous for its theatre and high-tech industries, and as a financial centre.

Meiningen devint rapidement le centre de commerce majeur du sud de la Thuringe et a gardé sa proéminence jusqu'au XXe siècle. Ce n'est donc pas étonnant que la ville abrite un grand nombre d'édifices remarquables de différentes époques, qui comptent parmi les plus beaux de la région. La prospérité a naturellement entraîné un développement culturel et spirituel ; de grands noms des arts et de la science vinrent s'installer à Meiningen. Jusqu'à aujourd'hui, la ville occupe une place importante dans le monde du théâtre et de la haute technologie.

Dampflokomotive SAXONIA

Inspiriert durch das Vorbild der englischen Lokomotive Comet entwickelte der Ingenieur Johann Andreas Schubert 1838 die Lokomotive Saxonia, die erste funktionsfähige Dampflokomotive Deutschlands. Über den Verbleib der Original-Lok nach 1956 ist leider nichts bekannt, was die Deutsche Reichsbahn anlässlich des 150. Jahrestages der ersten deutschen Fernbahnstrecke veranlasste, die Saxonia 1988 originalgetreu nachzubauen. Heute im Besitz des DB-Museums München, wurde sie 2008 im Dampflokwerk Meiningen generalüberholt.

The steam locomotive "Saxonia"

In 1838, inspired by the example of the English "Comet", the engineer Johann Andreas Schubert built a locomotive that he named "Saxonia". It was Germany's first fully functioning steam locomotive, but sadly, no one knows what happened to it after 1856. On the 150th anniversary of the first German long-distance railway, the East German transport ministry commissioned a replica of the Saxonia. Completed in 1988, it is now owned by the Munich Railway Museum. In 2008 it underwent a complete overhaul in the Meiningen steam locomotive works.

Locomotive à vapeur Saxonia

Inspiré par le modèle anglais Comet, l'ingénieur allemand Johann Andreas Schubert développa en 1838 la locomotive Saxonia, première locomotive à vapeur d'Allemagne. On ignore ce que devint la locomotive d'origine après 1956 ; ainsi en 1988, les chemins de fer de la RDA firent reconstruire à l'identique la Saxonia à l'occasion du 150e anniversaire de l'ouverture de la première voie ferrée longue distance d'Allemagne. Aujourd'hui, la Saxonia est une possession du musée du chemin de fer de Munich. Elle a été entièrement révisée en 2008 à l'atelier des locomotives à vapeur de Meiningen.

SUHL, Waffenmuseum Malzhaus

Am Rennsteig, einem der schönsten deutschen Wanderwege, liegt Suhl. Hier befindet sich auch die Mitte Deutschlands. Zur größten Stadt Südthüringens hat sie sich durch die Waffenindustrie entwickelt. Wegen der reichen Vorkommen an Eisenerz verarbeitete man hier schon um 500 v. Chr. Eisen. Im Mittelalter siedelte sich das Waffenhandwerk an. Ganze Heere wurden mit Waffen aus Suhl ausgestattet, und das weltweit. Noch heute sind die Schießeisen aus dem „deutschen Damaskus" sehr beliebt. Auch in der Autoindustrie konnten die Suhler seit Anfang des 20. Jh. mit Fahrzeugen der Extraklasse punkten.

SUHL, The Malzhaus Weapon Museum

Suhl stands at the centre of Germany, and is situated on the Rennsteig, one of Germany's most beautiful hiking trails. On account of its flourishing weapon industry, Suhl developed into the largest town in South Thuringia. Its rich seams of iron ore meant that iron was produced here as early as 500 B.C. Weapon manufacture was first established in the Middle Ages, and at one time Suhl supplied armies all over the world with firearms. Even today, Suhl handguns are a popular weapon. The local automobile industry has also made a name for itself since the Beginning of the 20th.

SUHL, Musée de l'armurerie

Suhl est située en bordure du Rennsteig, une des plus belles routes de randonnées d'Allemagne qui traverse le cœur du pays. La plus grande ville du sud de la Thuringe s'est développée grâce à l'industrie armurière. Vers 500 avant notre ère, on traitait déjà le fer à cet endroit riche en gisements de minerai de fer. La fabrication d'armes commença au Moyen Âge. Des armées entières, de presque tous les pays du monde, étaient équipées d'armes de Suhl. Aujourd'hui encore, les armes de Suhl sont très réputées. Depuis le début du XXe siècle l'industrie automobile de Suhl a aussi connu des heures de gloire.

Die Besonderheit Ilmenaus liegt in der Lage, in 500 Meter Höhe auf dem Scheitelpunkt zweier Landschaftsrichtungen. Im Süden und Westen liegt die typische Thüringer Waldlandschaft, mit Nadelwäldern und steil aufragenden Bergen; im Norden und Osten bedecken Laubwälder eine leicht gewellte Hügellandschaft. Diese Lage beeinflusst auch das Klima des Ortes, welches dem Erholungssuchenden zugute kommt. Aber hier zu arbeiten scheint auch zu beflügeln, denn als Universitäts- und Forschungsstandort ist die Stadt bekannt. Auch Goethe ließ sich hier gerne inspirieren.

Ilmenau, at a height of 500 metres, stands in a remarkable setting at the meeting-point of two contrasting landscapes. To the South and West lies the characteristic scenery of the Thuringian Forest, with evergreens and steep mountains. To the North and East you see a countryside of deciduous woodlands and gently rolling hills. Ilmenau's location means that it offers an ideal climate for those seeking rest and relaxation. Working here is evidently invigorating too, for Goethe found Ilmenau an inspiring place, and it is now famed for its university and research centres.

La particularité d'Ilmenau est sa situation à 500 mètres d'altitude sur une crête délimitant deux régions géographiques différentes : au sud et à l'ouest, la nature boisée typique de la Thuringe avec des forêts de pins et des versants escarpés, au nord et à l'est, des forêts de feuillus dans un paysage de douces collines. Grâce à cette situation privilégiée, Ilmenau est devenue une station climatique très prisée. Mais il semblerait que le bon air agit aussi sur les cerveaux car Ilmenau est ville universitaire et de recherche. Goethe aimait venir y chercher l'inspiration.

Auf dem Gelände eines ehemaligen Steinbruchs (nahe Oberhof) wurde 1970 der Grundstein für einen botanischen Gebirgsflora-Garten gelegt. Fast 4000 verschiedene Pflanzenarten aus den Gebirgen Europas, Asiens, Nord- und Südamerikas, Neuseelands sowie aus der arktischen Region fanden hier auf circa sieben Hektar eine Heimat. Die herrlich in die Thüringer Bergwelt eingebettete außergewöhnliche Gartenlandschaft mit einer künstlich angelegten Hochmooranlage bietet den Besuchern lehrreiche Informationen. Für die Erholung sorgt das Café Enzian.

The foundation stone of a new botanic mountain flora garden was laid in 1970, in the grounds of a former stone quarry near Oberhof. Almost 4000 different species of plants from the mountains of Europe, Asia, North and South America, New Zealand and the Arctic have found a new home here, in an area covering seven hectares. This unusual garden landscape with its artificial moorland is superbly situated among the mountains of Thuringia. Instructive background material is available for visitors, while Café Enzian provides welcome refreshments.

En 1970 était posée la première pierre du jardin botanique alpin sur l'emplacement d'une ancienne carrière, près d'Oberhof. Près de 4000 variétés de plantes des régions montagneuses d'Europe, d'Asie, du continent américain, de la Nouvelle-Zélande, ainsi que des régions arctiques ont trouvé un nouvel habitat de quelque 7 hectares, comprenant également un marécage montagneux artificiel. Ce jardin original, aménagé dans un superbe paysage de montagne de la Thuringe, offre des informations captivantes aux visiteurs. On peut ensuite aller se détendre au café Enzian voisin.

Der bekannte Wintersportort Oberhof ist jedes Jahr im Winter Austragungsort internationaler Skisportwettkämpfe. Der nah gelegene Rennsteig wird dann zu einer der längsten Loipen Europas. Bereits seit 1906 werden dort Wettkämpfe ausgetragen. Schneesicherheit und gut ausgebaute Trainingsmöglichkeiten (Sprungschanze) locken Sportler von weither. Der mit 1600 Einwohnern eher kleine Ort, wird durch die Ausrichtung sportlicher Großereignisse im Winter zur Metropole. Im Sommer ist der Rennsteig eine beliebte Wander- und Bikerstrecke

Every year the well-known winter sports resort of Oberhof becomes a venue for international ski competitions, and the nearby Rennsteig hiking path is converted into one of Europe's longest cross-country ski runs. Competitive ski sports have been held here since 1906, and participants come from near and far, tempted by prospects of ample snow and good training facilities (ski jumps). In winter the concentration of major sports events turns an otherwise small town of 1600 inhabitants into a metropolis. In summer the Rennsteig attracts hikers and bikers.

Tous les ans en hiver, la station de ski renommée d'Oberhof accueille des compétitions de ski internationales. Située à proximité, Rennsteig offre une des plus longues pistes de ski de fond d'Europe où des courses se disputent depuis 1906. Neige assurée et installations d'entraînement excellentes (tremplin de saut) attirent des sportifs du monde entier. La modeste localité de quelque 1 600 habitants se transforme en une métropole du sport lors des grands événements d'hiver. En été, la piste de Rennsteig est très fréquentée des randonneurs à pied ou à bicyclette.

Die historische Altstadt ist ein Schmuckkästchen gut erhaltener und restaurierter architektonischer Beispiele mitteleuropäischer Städtebaukultur. Schmucke Winkel, enge Gässchen, Erker, Türmchen und Fachwerkbauten bieten ein geschlossenes Bild und lassen den Betrachter immer wieder neue schöne Details entdecken. Wirklich bekannt wurde der Ort durch den Schmalkaldischen Bund, einer protestantische Bewegung, welche mit dem Schmalkaldischen Krieg endete. Über der Stadt liegt das fast unveränderte Renaissanceschloss Wilhelmsburg von 1570.

Schmalkalden's Old Town of is a treasure chest of well-kept and restored examples of bygone Central European urban architecture. Picturesque corners, narrow alleyways, oriels, turrets and timbered houses present a harmonious picture, and visitors like to keep searching for new and attractive elements in the wealth of detail. The town rose to fame after the creation of the Schmalkaldic League, a Protestant alliance that collapsed after the Schmalkaldic War. High above the town stands Wilhelmsburg, a Renaissance palace dating almost entirely from 1570.

Le quartier historique de cette agréable ville est un véritable coffret à bijoux rempli de superbes exemples d'architecture urbaine, bien conservés ou restaurés. Ruelles étroites, places pittoresques, tourelles et encorbellements, maisons à colombages offrent superbe un ensemble homogène. Dans les livres d'histoire, la ville est connue pour « l'Alliance de Schmalkalden », un mouvement protestant qui fut anéanti en 1546 lors de la guerre de Schmalkalden. Le château Renaissance de Wilhelmsburg trône au-dessus de la ville depuis 1570.

TRUSETALER WASSERFALL

Jedes Jahr feiert man im Juli das Truse-taler Wasserfallfest, um diese gelunge-ne Attraktion der Thüringer zu würdi-gen. Denn 1865 ließ der Baurat Specht den Wasserfall von Bergarbeitern anle-gen und schuf damit den höchsten Thüringer Wasserfall. Aus einer Höhe von 60 Metern ergießt sich das Wasser der Truse über drei Kaskaden tosend in die Tiefe. Der Zuweg zum Fall ist sogar behindertengerecht. Allerdings muss man, um die 200 Stufen auf die Teufels-kanzel zu ersteigen, doch noch ganz gut zu Fuß sein. Doch es lohnt sich, denn der Blick über das Werratal ist grandios.

TRUSETAL WATERFALL

The Trusetal Waterfall Festival is held each year in July in honour of yet ano-ther of Thuringia's popular attrac-tions. In the year 1865, a civic architect named Specht ordered local miners to draft a three-tiered waterfall that tur-ned out to be the highest in Thurin-gia. Here, the waters of the Truse thunder down from a height of 60 metres to the depths below. The path to the falls includes access for the dis-abled. To be rewarded with a magnifi-cent view over the Werra valley, how-ever, you have to climb up the 200 steps to the top of the so-called Devil's Pulpit.

CASCADE DE TRUSETAL

Chaque année en juillet, la Fête de la cascade de Trusetal célèbre l'attraction réussie, créée par la main de l'homme. En 1865, l'ingénieur Specht fit aména-ger par des mineurs la chute d'eau qui est la plus haute de Thuringe. L'eau de la Truse se précipite fougueusement d'une hauteur de 60 mètres sur trois paliers. Le chemin menant à la cascade est accessible aux handicapés. Toute-fois, il faut avoir bon pied pour gravir les 200 marches jusqu'au point de vue Teufelskanzel, mais on sera récom-pensé de son effort par un panorama grandiose sur la vallée de la Werra.

Die im 14. Jh. betriebene Salzgewinnung verhalf dem Ort zum späteren Kurbetrieb. Unmittelbar an der Werra gelegen, findet sich eines der schönsten Gradierwerke Deutschlands, welches 1590 erbaut wurde. Mit der Entdeckung der Heilwirkung der Sole um 1800 begann der Kurbetrieb. Der Mittelbau, zwischen den beiden 80 Meter langen Gradierwerken gelegen, wurde um 1900 im hennebergischen-fränkischen Stil erbaut. Sechs Jahre später wurde die Anlage mit Trinkhalle und Musikpavillon ergänzt. Das Kurhaus liegt in einer idyllischen Parklandschaft am Burgsee.

The salt production that prospered in the 14th century was also a factor in the town's later development as a spa. On banks of the River Werra stands one of Germany's most attractive salt works, built in 1590. The health spa industry began after the curative properties of saline were discovered around 1800. The central building, flanked by the 80-metre-long salt works, was built in about 1900 in Henneberg-Franconian style. Six years later, a pump room and bandstand were added. The spa centre stands in an idyllic park-like landscape on the Burgsee.

L'extraction du sel au XIVe siècle a plus tard aidé au développement de la station thermale. Érigé près de la Werra, un des plus beaux « Gradierwerk » (installation d'évaporation saline) d'Allemagne fut construit en 1590. La découverte des vertus curatives de la saumure en 1800 fut le départ des thermes. Le bâtiment central entre les deux installations salines de 80 m de longueur fut construit en 1900 dans le style henneberg-franc. Six ans plus tard, un pavillon de musique et une salle de dégustation d'eau y étaient ajoutés. Le Kurhaus s'étend dans un parc idyllique au Burgsee.

Schon die Burgherren von Stein wussten um die heilvolle Wirkung der von ihnen um 1560 entdeckten Quelle. Aber als im Jahre 1610 der Coburger Herzog Casimir Kunde von der wunderbaren Wirkung des Brunnens in Liebenstein bekam, ließ er das heilkräftige Wasser in eine Quelle fassen. Für Liebenstein war dies der Auftakt zur weiteren Entwicklung in ein elegantes Kurbad, welches von Aristokraten gerne besucht wurde. Heute ist es eines der bedeutendsten Bäder für Herz- und Kreislauferkrankungen in Deutschland und hat von seinem besonderen Flair nichts eingebüßt.

As long ago as 1560, the Lords of the Manor of Stein realised that the spring they had newly discovered on this site possessed healing properties. It was not until 1610, however, that Duke Casimir Kunde of Coburg recognised the wondrous curative powers of the waters of Liebenstein and had them enclosed in a well. This was the prelude to the growth of Bad Liebenstein as an elegant spa favoured by the aristocracy. The town, which has lost none of its original flair, is today one of the most important spa centres in Germany specialising in cardiovascular diseases.

Les seigneurs de Stein appréciaient déjà les vertus curatives de la source qu'ils découvrirent vers 1560. Mais c'est seulement en 1610 que le duc Casimir de Coburg eut vent des eaux thérapeutiques de Liebenstein. Dès lors, la localité se développa en une élégante ville de cure, fréquentée des aristocrates. Aujourd'hui, Bad Liebenstein est une station thermale populaire en Allemagne, traitant les maladies cardiaques et de la circulation; une jolie ville qui n'a rien perdu de son charme particulier.

Mitten im Thüringer Wald liegt der Inselsberg, der sich mit seinen 916 Metern über die Spitzen der Wälder ringsherum erhebt. Der erstmals um 1250 als Enzenberc erwähnte Berg ist vulkanischen Ursprungs. Herzog Ernst der Fromme baute schon im Jahr 1649 eine Hütte für Waldwart und Jäger. 1939 wurde eine Sendemastanlage errichtet, kurz darauf folgte die Wetterstation. Als Wintersportgebiet bietet der Inselsberg eine Sommerrodelbahn, Skiloipen sowie Abfahrten. Für das leibliche Wohl sorgen ein Restaurant und ein Imbiss.

Inselsberg, situated in the middle of the Thuringian Forest, rises up above the surrounding treetops at a height of 916 metres. The hill is of volcanic origin and was first mentioned around 1250 with the name Enzenberc. Duke Ernst the Pious built a lodge here for foresters and hunters in 1649. In 1939 a transmitting station was erected, followed soon thereafter by a weather station. Inselsberg is now a winter sports area, with facilities for cross-country and downhill skiing and a summer toboggan run. There is also a restaurant and a snack bar.

Au cœur de la Forêt de Thuringe, le sommet de l'Inselsberg haut de 916 mètres surplombe la cime des arbres. Le massif d'origine volcanique fut mentionné pour la première fois en 1250 sous le nom d'Enzenberc. Le duc Ernest le Pieux y fit bâtir en 1649 une cabane destinée aux chasseurs et gardes-forestiers. Une antenne émettrice y était érigée en 1939, rapidement suivie d'une station météorologique. En hiver, l'Inselsberg offre des pistes de luge, de ski de fond et de ski alpin. On y trouve aussi un restaurant et une buvette.

Als die zweitmächtigste Stadt nach Erfurt gelangte Mühlhausen zu hohem Ansehen. Fast 60 Türme ragten seinerzeit über die Dächer der Stadt. „Die Macht soll gegeben werden dem gemeinen Volk" – diese Bewegung ging 1525 während des Bauernkrieges von dem Reformator Thomas Müntzer von Mühlhausen aus. Johann Sebastian Bach verzauberte 1707-08 die Stadt mit seiner Kirchenmusik in der Hallenkirche Divi Blasli. Seit 1877 findet in der letzten Woche im August in Mühlhausen die größte Stadtkirmes Deutschlands statt.

Mühlhausen once enjoyed great esteem as the second most influential town in Thuringia after Erfurt. At one time, nearly 60 towers rose above the rooftops of the town. In 1525, during the Peasants' War, the call sounded for power to be "placed in the hands of the common people." This doomed revolt was led by Thomas Müntzer, who was based in Mühlhausen. In 1707-08, Johann Sebastian Bach charmed the town with his organ music in the church of Divi Blasii. Since 1877, Germany's largest town funfair has taken place in Mühlhausen in the last week of August.

Après Erfurt, Mühlhausen était la ville la plus puissante de la région et fut longtemps une ville libre d'Empire. Au Moyen Âge, près de 60 tours s'élevaient au-dessus des toits de la cité. « Le pouvoir au petit peuple ! » : c'est de Mühlhausen que le réformateur Thomas Müntzer lança son mouvement en 1525 durant la Guerre des Paysans. De 1707 à 1708, Jean-Sébastien Bach séduisit les habitants de la ville qui écoutaient sa musique religieuse à l'église Divi Blasli. Depuis 1877, la plus grande foire municipale d'Allemagne se tient à Mühlhausen durant la dernière semaine d'août.

△ Blick auf Mühlhausen   ▽ Bauernkriegsspektakel – Spiele um den Reformator Thomas Müntzer ▽   △ Bauernkriegsmuseum Mühlhausen in der Kornmarktkirche

So idyllisch und friedvoll wie das Benediktiner-Kloster Zella (um 1100) inmitten von Laubwäldern liegt, ging es dort. Bei den Bauern der Umgebung war das Kloster nicht gut angesehen und so nutzten sie die Wirren der Aufstände, um das Kloster 1525 zu überfallen und auszuplündern. Die Geschichte des Klosters bleibt wechselvoll, aber dennoch ist es bis heute gut erhalten geblieben. 1949 wurde es umfangreich saniert, um es künftig als Alten- und Pflegeheim zu nutzen. In der romanischen Kirche St. Nikolaus werden heute Taufen und Hochzeiten gefeiert.

Although the convent of Zella (ca. 1100) now stands in an idyllic setting in the midst of deciduous woodlands, this was not always such a peaceful spot. The community was not popular with the local peasants, and in 1525 they took advantage of the tumultuous uprisings of the time to raid and plunder the convent. The history of Zella remained a turbulent one, but it has nonetheless been well preserved. It underwent extensive refurbishment in 1949 and was converted to a care and retirement home. Today, baptisms and weddings are held in the Romanesque church of St Nicholas.

Le couvent de Bénédictines Zella (vers 1100) situé dans un paysage idyllique de forêts de feuillus, ne connut pas toujours une atmosphère aussi paisible qu'aujourd'hui. En fait, l'établissement n'était guère aimé des habitants des environs qui profitèrent des troubles de la Guerre des Paysans pour l'attaquer et le piller en 1525. Malgré son histoire mouvementée, le couvent resta bien conservé. Après d'importants travaux de modernisation en 1949, il a été transformé en maison de retraite. Baptêmes et mariages sont célébrés dans l'église romane Saint-Nicolas.

DINGELSTÄDT im Eichsfeld

Dingelstädt konnte sich aufgrund der vielfältigen Industrieansiedlung seit dem 19. Jahrhundert prächtig entwickeln. Nur wenige Orte im Eichsfeld schafften es, sich über die Zeit der DDR bis in die Neuzeit hinein industriell zu etablieren. Das große ehemalige Dingelstädter Franziskaner-Kloster (Bild rechts) beherbergt heute das Staatliche Gymnasium St. Josef Dingelstädt. — Im nah gelegenen Ort Kefferhausen kann man an idyllischer Stelle im Wald die Quelle der Unstrut besichtigen, ein Nebenfluss der Saale.

DINGELSTÄDT at the Eichsfeld

As a thriving location for a wide range of large industrial enterprises, Dingelstädt underwent rapid development during the 19th and 20th centuries. Few other places in the Eichsfeld district likewise succeeded in establishing factories that survived German reunification in 1990. The former imposing house of the Franciscan community (photo right) is now home to St Josef Dingelstädt State Grammar School. — In the nearby village of Kefferhausen in an idyllic woodland spot the source of the river Unstrut can be found, a tributary of the Saale.

DINGELSTÄDT/Eichsfeld

Dingelstädt prospéra à partir du XIXᵉ siècle grâce à l'installation de diverses industries. Peu de localités de l'Eichsfeld réussirent à établir un tissu industriel qui a été conservé au-delà de l'époque de la RDA, dans l'Allemagne réunifiée. Jadis important, l'ancien monastère de Franciscains de Dingelstädt (photo à droite) abrite aujourd'hui le lycée municipal St-Josef. — Près de la localité voisine de Kefferhausen, la rivière Unstrut prend sa source à un endroit idyllique de la forêt.

△ DINGELSTÄDT, ehemaliges Franziskaner-Kloster oder „St. Josef-Institut"   ▽ UNSTRUT-QUELLE in Kefferhausen bei Dingelstädt

HEILIGENSTADT   ▽ Klauskapelle am Kurpark   △ Stadtblick mit katholischer Marien-Kirche   ▽ Heimensteiner Kirmes an Pfingsten

HEILIGENSTADT im Eichsfeld

Das Eichfeld besteht aus einem Hochplateau, welches von sechs Flüssen begrenzt wird. Die Hauptstadt dieser Region ist Heiligenstadt. 1460 wusste man noch nicht, dass der in der Klausmühle geborene Tilmann Riemenschneider einer der berühmtesten Bildschnitzer seiner Zeit werden sollte. Die Stadt besaß auch Rechtsbarkeit und so kam es, dass Theodor Storm von 1856 bis 1864 hier als Kreisrichter tätig war. Seit 1581 findet hier eindrucksvoll die Leidensprozession am Palmsonntag statt. In dem Kur- und Heilbad lässt es sich auch heute noch wunderbar entspannen.

HEILIGENSTADT at the Eichsfeld

The high plateau of Eichsfeld is bordered by six rivers, and the capital of the region is Heiligenstadt. In 1460, a baby was born in the Klausmühle in Heiligenstadt who was to become one of the most famous sculptors of his time; his name was Tilman Riemenschneider. The town was granted various jurisdictional rights, and the writer Theodor Storm served as a district judge here between 1856 and 1864. The impressive Passion Procession has been held on Palm Sunday since 1581. As a spa, Heiligenstadt also offers splendid opportunities for rest and relaxation.

HEILIGENSTADT dans l'Eichsfeld

L'Eichfeld est formé d'un haut plateau limité par six cours d'eau. Heiligenstadt est la capitale de cette région. En 1460, on ignorait que l'enfant qui venait de naître au Klausmühle deviendrait un des plus célèbres sculpteurs sur bois de son temps, sous le nom de Tilmann Riemenschneider. La ville possédait les droits de rendre la justice et c'est ainsi que l'écrivain Theodor Storm y exerça la fonction de juge de district de 1856 à 1864. Depuis 1581, une procession commémorant la Passion du Christ a lieu tous les ans, le dimanche des Rameaux.

HEILIGENSTADT, Redemptoristenkloster ▷

Jedes Jahr am ersten Augustwochenende erlebt Burg Hanstein das Mittelalter wieder neu, bei einem Fest auf dem imposanten Burggelände. Doch die Ursprünge dieser eindrucksvollen Burgruine reichen laut Überlieferungen sogar bis 820 zurück. Bewohnt war die Burg bis 1683, danach nutzten die von Hanstein die Anlage nur noch für Familienversammlungen. Dafür wurde eigens ein neuer Saal errichtet. Einen herrschaftlichen Blick hat man von dem begehbaren Turm ins Nordhessische Bergland.

Every year on the first weekend in August the Middle Ages are brought to life anew in a festival held in the imposing grounds of Hanstein Castle. According to tradition, the origins of this impressive ruin can be traced back as far as the year 820. The castle was inhabited until 1683, but after that the Hanstein family only used it for family gatherings, building a special new function room for the purpose. Visitors may climb the tower for a grandiose view of the mountainous landscape of North Hesse.

Chaque année, le premier week-end d'août, l'époque médiévale revit à Burg Hanstein lors d'une fête célébrée dans les ruines imposantes de l'ancien château fort, dont les origines remonteraient à 820. Le château a été habité jusqu'en 1683 par la lignée von Hanstein, qui ne l'a plus ensuite utilisé que pour des réunions de famille, construisant et aménageant à cet effet une nouvelle vaste salle. Depuis le sommet accessible de la tour, on découvre un superbe panorama sur le paysage ondulé de la Hesse du Nord.

Günstig an Handelswegen am Rande des Harzes gelegen, im Tal der Zorge und dessen Goldener Aue: Durch diese vorteilhafte Lage konnte sich Nordhausen neben Mühlhausen als zweite freie Reichsstadt in Thüringen behaupten. Im Zweiten Weltkrieg befand sich in der Nähe der Stadt ein Rüstungszentrum, so dass es noch kurz vor Kriegsende zu einem Bombenangriff kam. Dabei wurde das mittelalterliche Zentrum fast völlig zerstört. Die Rolandstatue, welche die Gerichtsbarkeit der Stadt verkündet, überstand dies unversehrt, daher feiert man jährlich das Rolandsfest.

Nordhausen established itself as Thuringia's second Free Imperial City after Mühlhausen because of its advantageous location on various trade routes, on the edge of the Harz, and in the Zorge valley, with its particularly fertile low-lying Goldene Aue (Golden Meadow). In the Second World War there was an armaments centre nearby, and shortly before the war ended, almost all of the city's medieval heritage was destroyed in a bombing raid. The Roland statue, betokening the city's powers of jurisdiction, survived, which is why Roland is still honoured here in the annual Roland Festival.

Bien située sur une route marchande à la lisière du Harz, dans la vallée de la Zorge, Nordhausen était prospère et la seconde ville libre d'Empire de la Thuringe, après Erfurt. Une usine d'armement se trouvant à proximité de la ville durant la Seconde Guerre mondiale, Nordhausen fut bombardée juste avant la fin du conflit. La statue de Roland, symbole de la justice, est un des rares monuments à ne pas avoir été détruits, aussi célèbre-t-on la fête de Roland tous les ans. La cathédrale du XIIᵉ siècle a été reconstruite.

Die Residenzstadt Sondershausen wurde von 1356 bis 1918 durch die fürstliche Dynastie Schwarzburg zu einer angesehenen Stadt. Man wünschte sich eine Hofkapelle aus Liebe zur Musik. Dies begründete das spätere, so bekannt gewordene Loh-Orchester, welches die Musikrichtungen von Richard Wagner und Franz Liszt protegierte. 1893 zog die Industrialisierung mit dem Kalibergbau in Sondershausen ein, bis zur Einstellung 1990. Ein besonderes Erlebnis ist die Besichtigung der Kaligrube mit 52 Meter langer Steilrutsche und unterirdischem Konzertsaal mit überirdischer Akustik.

From 1356 to 1918, Sondershausen enjoyed great prestige as the seat of the Schwarzburg dynasty. It was the ambition of this family of music lovers to maintain a court orchestra. This ensemble was eventually to provide the basis of the famed Loh Orchestra, one of the first to promote works by Richard Wagner und Franz Liszt. In 1893, the Industrial Revolution reached Sondershausen with the mining of potash, which ceased only in 1990. The old mine is now a popular visitor attraction, with its steep 52-metre-long chute and a subterranean concert hall with unearthly acoustics.

De 1356 à 1918, Sondershausen fut la ville de résidence de la dynastie princière des Schwarzburg. Passionnés de musique, ils créèrent un orchestre de cour, devenu plus tard le célèbre orchestre Loh qui influença le courant musical allemand du XIXᵉ siècle en jouant les œuvres de Richard Wagner et Franz Liszt. En 1893, l'industrialisation fit son entée à Sondershausen avec l'exploitation de la mine de potasse Kali. Depuis 1990, la mine désaffectée est ouverte au public et abrite une salle de concert souterraine à l'acoustique incomparable.

Die erste gotische Burganlage wurde Ende des 12. Jh. erbaut; in späteren Jahrhunderten folgten Umbauten im Renaissance-Stil. Mit zwei Wassergräben war sie damals ein wichtiger Zufluchtsort. Es heißt, Thomas Müntzer sei 1525 in dem romanischen Bergfried bis zu seiner Hinrichtung gefangen und gefoltert worden. Im 17. Jh. verlor die Burg an Bedeutung, im 20. Jh. erkannte man ihre Besonderheit und ließ sie sorgsam wieder aufbauen. Heute wird die Burg vor allem als Jugendherberge mit Burgcafé genutzt und bietet im Rittersaal weitere Möglichkeiten für Veranstaltungen.

The first Gothic castle was built here at the end of the 12th century. In later centuries, it was partly rebuilt in Renaissance style. As the castle had a double moat, it became a notable refuge. In 1525, Thomas Müntzer, a rebellious priest who led a peasants' revolt, was allegedly imprisoned and tortured in the keep before his execution. In the 17th century Heldrungen castle dwindled in importance, but the 20th century invested it with new significance and it was painstakingly rebuilt. Today it houses a youth hostel and café, while the Great Hall provides a venue for a variety of events.

Le château de facture gothique construit à la fin du XIIe siècle fut plus tard transformé en style Renaissance. Entouré de deux douves, il servit de refuge pendant des siècles. Le prêtre rebelle, Thomas Müntzer, chef religieux de la Guerre des Paysans, fut emprisonné dans le donjon, torturé et exécuté en 1525. Le château tomba dans l'oubli au XVIIe siècle. Il fallut attendre le XXe siècle pour que l'on reconnaisse son importance et entreprenne de le restaurer. Il abrite aujourd'hui une auberge de jeunesse et un restaurant. Sa superbe salle des chevaliers est ouverte à diverses festivités.

Das Gebiet um Frankenhausen war schon in der Frühzeit gut besiedelt, denn hier an der Goldenen Aue am Südhang des Kyffhäusergebirges ließ es sich leben. Wirklich bekannt wurde Frankenhausen jedoch durch die letzte große Schlacht des Deutschen Bauernkrieges 1525, welche der Anführer Thomas Müntzer mit einer Niederlage und seiner Gefangenschaft hinnehmen musste. Seit 998 wurde hier schon Salz gewonnen, welches 1818 dann als Solquelle zu Heilzwecken genutzt wurde. Die Badekultur setzte 1898 ein. Bekannt wurde Frankenhausen auch durch seine Knopffabrikation.

There were settlements around present-day Frankenhausen in very early times, for life had much to offer here in the so-called Golden Meadow on the southern slopes of the Kyffhäuser hills. Frankenhausen became more widely known after the last great battle of the German Peasants' War was fought here in 1525, leading to the defeat and incarceration of its leader Thomas Müntzer. Salt has been mined here since 998, and from 1818 the saline springs were used in spa therapies. In 1898 Frankenhausen became a bathing resort, and was also famous for its button manufacture.

La région autour de Frankenhausen fut très tôt colonisée car la Goldene Aue qui s'étend sur les versants sud du Kyffhäusergebirge offrait des conditions de vie idéales. Frankenhausen est surtout connue parce que la dernière grande bataille de la Guerre des Paysans porte son nom. En 1525, les paysans étaient vaincus et leur chef, Thomas Müntzer, fait prisonnier. Le sel est exploité dans la région depuis 998, mais on ne reconnut ses propriétés curatives qu'en 1818. Frankenhausen devint une station thermale réputée en 1898. La ville est aussi réputée pour sa fabrication de boutons.

In einer großen Rotunde ist die Gesamtdarstellung der Epoche des ausgehenden Mittelalters und der frühen Neuzeit eindrucksvoll dargestellt. Den Mittelpunkt bildet die Schlacht bei Frankenhausen, mit Thomas Müntzer als Protagonist. Auf 1722 m² schuf Tübke ein Kolossalgemälde von unglaublicher Intensität, worauf bedeutende Persönlichkeiten der Geschichte, z.B. Albrecht Dürer, Martin Luther und Lucas Cranach, abgebildet worden sind. Mehr als 3.000 einzelne Figuren bevölkern das einzigartige Monumentalwerk mit ihren eigenen Geschichten.

In the huge rotunda you will find a striking depiction of the whole epoch of the late Middle Ages and the beginnings of the modern period. The centre of the painting portrays the Battle of Frankenhausen, with the rebel Thomas Müntzer as chief protagonist. Tübke's colossal picture, covering 1722 square metres, is a work of incredible intensity that depicts important historical characters such as Albrecht Dürer, Martin Luther und Lucas Cranach. This unique, monumental artwork is populated with over 3000 figures, all with their own tale to tell.

Toutes les périodes de la fin du Moyen-Âge aux débuts des temps modernes sont admirablement représentées dans une grande rotonde. La bataille de Frankenhausen avec Thomas Müntzer comme protagoniste en constitue le centre. Sur 1722 m², Tübke a réalisé une peinture monumentale d'une incroyable intensité, où apparaissent des personnages importants de l'histoire tels qu'Albrecht Dürer, Martin Luther et Lucas Cranach. Plus de 3000 figures peuplent l'œuvre colossale de leurs propres histoires.

Ist schon die Aussicht von den Terrassen am Fuße des Kyffhäuser Denkmals, der riesigen Steinsäule überwältigend, so wird sie noch gesteigert, wenn man in ihre Krone hinaufsteigt. Wohin auch immer die Augen schweifen, der Ausblick ist grandios. Jenseits des Flusses Helme liegen die Höhenzüge des Harzes, und im Osten liegt Sangerhausen mit seinen Anlagen des Kupferschieferbaus. In Richtung Süden erkennt man die Thüringer Pforte. Westlich liegt Nordhausen und die Windleite. Zu Füßen des Denkmals breitet sich die Goldene Aue aus.

Vom Kyffhäuser erzählt man sich die Sage, dass der Kaiser Barbarossa in einer Höhle schlafe und seiner Wiederkunft harre. Er würde aber aufwachen und den Deutschen ein starkes Reich errichten. Mit der Reichsgründung 1871 fanden solche Vorstellungen ihre ausdrucksstarke Verkörperung in monumentalen Denkmälern. So auch auf dem Kyffhäuser, den etwa 19 Kilometer langen und nur sieben Kilometer breiten Bergrücken, auf dem ein 81 Meter hoher Turm steht. Verziert ist er mit dem neun Meter hohen Reiterstandbild Kaiser Wilhelms I. und mit dem auf einer Steinbank sitzenden Kaiser Barbarossa.

Already from the terrace of the huge stone Kyffhäuser monument the view is breathtaking, and it is even more overwhelming from the top. In every direction there is a grandiose panorama which extends for miles in every direction. On the far side of the river Helme there are the distant mountains of the Harz, while to the east stands Sangerhausen with its slate hills and copper mines. To the west is Nordhausen and the sandstone heights of Windleite, at the foot of the monument lie the expanses of the so-called "Golden Meadow".

The saga of Kyffhäuser relates that the Emperor Barbarossa is not dead but sleeping at a stone table in a cave in Kyffhäuser. When Germany was unified in 1871, such legends gained new significance, and a number of vast monuments were erected as symbols of the consolidation of the German state. One of them, an 81-metre-high tower, now stands near Halle on Kyffhäuser, a ridge 19 kilometre long and only seven kilometre wide. Barbarossa´s statue portrays the long-bearded emperor on his stone bench, with the equestrian statue of Emperor Wilhelm I for company.

Le panorama que l'on découvre depuis la terrasse qui constitue le pied du monument du Kyffhäuser est déjà très impressionnant, mais il devient grandiose quand on monte au sommet de l'architecture imposante. Le paysage s'étale à perte de vue. Les hauteurs du Harz se dressent au-delà de la rivière Helme; à l'Est, on aperçoit Sangerhausen. Nordhausen s'étend à l'Ouest tandis que le paysage magnifique appelé « Goldene Aue » (les champs d'or) se déroulent devant le monument.

Le Kyffhäuser est une croupe montagneuse de 19 km de longueur et de 7 km de largeur. De nombreuses légendes l'entourent dont celle de l'empereur Barberousse (Barbe-Rouge) qui dormirait dans une de ses grottes, mais se réveillerait un jour pour récréer un puissant empire allemand. La création du deuxième Empire en 1871 parut combler ces espoirs et entraîna la réalisation d'oeuvres monumentales dans toute l'Allemagne. Au Kyffhäuser, on construisit une tour haute de 81 mètres devant laquelle se dressent la statue équestre haute de 9 mètres de l'empereur Guillaume Ier et la statue de l'empereur Barberousse assis sur un banc de pierre.

© Copyright by:
ZIETHEN-PANORAMA VERLAG
D-53902 Bad Münstereifel · Flurweg 15
www.ziethen-panoramaverlag.de

Überarbeitete Auflage 2011 in Hardcover

Redaktion und Gestaltung: Horst Ziethen

Einleitungstext: Hans Müller/
in Lizenz vom DuMont-Reiseverlag
Bildseitentexte: Anette Ziethen und Susanne Koller

Englische Übersetzung: Dr. Gwendolen Webster
Französische Übersetzung: France Varry

Produktion: Ziethen-Panorama Verlag

Printed in Germany
ISBN: 978-3-934328-33-4 - Softcover
ISBN: 978-3-934328-64-8 - Hardcover mit Schutzumschlag

BILDNACHWEIS / TABLE OF ILLUSTRATIONS / TABLE DES ILLUSTRATIONS

Horst Ziethen: Titel, 10, 13, 14/15, 16, 18b+c, 19, 29(3), 38, 56a, 62a, 66, 70, 82, 84a, 89a+b, 99(2), 100a+b, 101(2), 103a
PUNCTUM Fotografie: 36a+b, 37, 40, 78, 85, 88 a+b, 108b / Szyszka: 44, 68(3), 71a. 75b-c, 76 a + RT A+b, 77, 80, 84d / Bernd Blume: 64
DPA/ Kay Maeritz: 23a, 71b / Euroluftbild.de: 28c, 105/ AKG-Images: 34d/ BA Huber: 35, 59, 104/ Martin Schutt: 54+ RT B, 76c, 79c, 84c, 100 c/ Hendrik Schmidt: 57, 87/ Jan-Peter Kasper: 65c, 75a, 79b/ Stefan Thomas: 83b
transit Fotografie/ Thomas Härtrich: 9, 12, 17, 22(3), 26b, 34c, 41, 42, 60, 76d, 81, 86c, 92 / Christoph Busse: 31
Fridmar Damm: 20a, 46, 97b, 54b, 55 a,b,c, 63a, 73, 90, 93+Rücktitel A, 98
Karl Kinne: 32, 39, 43, 49, 94(2), 95 · **Stuttgarter Luftbild:** 33, 52a, 53, 58, 108a ·
BA Schapowalow/Huber: 30a, 62b, 79a, 91+ RTd/ FAN: 79d · **Das Luftbildarchiv, Wennigsen:** 67, 74, 89c

Barbara Neumann: 1, 47a-d, 86a, RT C; Hotel auf der Wartburg: 11(2); **BA Visum**/Euroluftbild.de: 18a/ Werner Otto: 83a; Bachhaus Eisenach/ Neue Bachgesellschaft e.V./Ulrich Kneise: 20c, 21 (4) / André Nestler: 20b; Lutherverein e.V. Eisenach/ J. Zlotowitz: 24b; **MAIRDUMONT**/BA Huber: 23/ Sabine Lubenow: 45/ Kay Maeritz 71c; **Alimdi.net**/ Olivor Corhard: 25 / Christina Handl. 63b / Martin Siepmann: 80b, **Mauritius Images**/Andreas Vitting: 26a; go-Images/Wolfgang Ehn: 27a, 96; Christina Reißig: 28 A+B; Karl Koller: 30b; Stiftung Schloss Friedenstein Gotha: 34a+b; Emo-pictures: 48; edp/Maik Schuck: 50; Klassiker-Collage/S. 51 3 Bildreproduktionen v.d. Stiftung Weimarer Klassik – Museum (1.Reihe/3.Bild, 2 Reihe/2. Bild, 3.Reihe/4.Bild) – die Fotos sind von S. Geske / A. Kittel. Die übrigen 9 Bilder stammen vom bpk, Berlin; Jürgens Ost- und Europa-Photo: 52b; Caro/Eckelt: 55; W. Don Eck: 61; BA Huber/Szyszka: 65a; Das Fotoarchiv/Knut Müller: 62c; Arcolmages/R.Kiedrowski: 65b; Werner Otto: 69, 84b, 97a; Look-Foto/H. Wohner: 72; www.Bauernkriegspektakel.de: Glenn Meyer & Andreas Hornemann: 97c+e; Raumbild M. Garke: 103b;
Seite 106/107: Ausschnitt aus dem Bauernkriegs-Panorama im Panorama-Museum Bad Frankenhausen von Werner Tübke / Foto: G. Murza - @ VG Bild-Kunst, Bonn 1997;

Vorsatzseiten: Aktuelle Panoramakarte – Ausschnitt aus der Berann-Deutschland-Panorama-Karte, erschienen im © MairDumont GmbH & Co KG
Historische Karte: Aus Stieler s Handatlas / Archiv ZIETHEN-PANORAMA VERLAG
Nachsatzseiten: Aktuelle Thüringenkarte vom Service Center Thüringen, Erfurt